ТРЭШ
коллекция

Елена Трегубова

Прощание кремлевского диггера

УДК 821.161.1-32. Трегубова
ББК 84 (2Рос-Рус)6-44
    Т46

Художественное оформление
А. Бондаренко

ISBN 5-93321-095-1

СОДЕРЖАНИЕ

Я была против публикации этой книги. Потому что в тот момент, когда я сдавала ее в типографию, произошел Беслан. И я сказала своему издателю, что любое слово, произнесенное сейчас не об этом кошмаре, будет звучать фальшиво.

Потом стало известно, что Анну Политковскую из «Новой газеты», которая везла в Беслан посреднические предложения от Масхадова, дававшие шанс спасти жизнь заложникам, отравили в самолете. А журналиста Андрея Бабицкого, также пытавшегося выступить с миротворческой миссией, устранили, сначала задержав под предлогом обнаружения у него взрывчатки, затем спровоцировав драку, избив, а потом арестовав.

Потом у моей подруги Маши Слоним, которая помчалась сдавать кровь для еще живых детей из Беслана, отказались ее принять — «потому что у нее нет московской прописки» (Маша — британская подданная).

А потом, проходя мимо Палашевского рынка, я увидела, что всех торговцев увезла милиция. У всех у них *были в полном порядке и документы, и регистрация. Но у них оказалось кое-что лишнее — «лицо кавказской национальности». А когда через пару минут мне сказали, что лишь одному продавцу удалось спастись от «зачистки» — потому что он отсиделся в холодильнике, мне уже показалось что я смотрю дурной ремейк фильма про подполье в нацистской Германии.*

А вскоре и думские стахановцы выступили в духе «Россия — для русских, Москва — для москвичей», пообещав закрыть въезд в Москву для россиян из других регионов, ввести жесткую сегрегацию по прописке и, по сути, отменить в стране право на свободное передвижение.

А потом в моем родном городе милиционеры избили героя России Магомеда Толбоева — не по паспорту, а по морде.

Может, кто-нибудь мне объяснит, чем вот такое вот государство, которое уже несколько лет подряд проводит геноцид в Чечне, а потом вдруг устами своего президента заявляет, что теракт в Беслане «не имеет ничего общего с событиями в Чечне», отличается от фашистского?

В этот момент я почувствовала, что просто обязана опубликовать книжку — потому что на самом деле она именно о том, что сделал очевидным Беслан.

Когда власть (или ее пропагандисты) пытаются оправдать какой-то запредельный, нечеловеческий, не поддающийся объяснению кошмар «интересами государства», то надо прежде всего ответить себе на два простых вопроса: во-первых, в интересах кого конкретно из представителей власти это говорится и делается, а во-вторых, готовы ли вы, вот конкретно вы, расплачиваться за это своей жизнью или жизнью своих близких.

КАК ВЗРЫВАЛИ МЕНЯ

DIE ANOTHER DAY

2 февраля 2004 года, в понедельник, в день регистрации Владимира Владимировича Путина кандидатом на выборах президента России на второй срок, я собиралась ехать на день рождения к своей любимой школьной учительнице Фриде Самуиловне. Праздник был назначен на два часа дня. Я заказала такси через службу «333» на 13.30. Ровно в полвторого раздался звонок, диспетчер сообщила, что машина уже у подъезда. Я, по своей вечной, хронической привычке, как всегда опаздывала: даже к своей любимой учительнице не смогла собраться вовремя. Я попросила девушку-диспетчера, чтобы водитель подождал.

Я слегка нервничала, это ведь не просто день рождения, который мы каждый год по-семейному празднуем с Фридой у нее дома, а юбилей — ей 80 лет. И отмечаться он будет в моей школе, порога которой я не переступала с момента ее окончания. И скорее всего, мои старые учителя будут спрашивать меня не про мою жизнь, а про мои «Байки». Довольно странно: выйти из школы маленькой девчонкой, а вернуться туда «скандальным» журналистом.

Ну как же я заранее обо всем этом не подумала... Ну почему вчера не сделала себе какую-нибудь красивую прическу, не приготовила себе одежду поприличнее? Ну неужели я не могла хотя бы проснуться пораньше и погладить костюм?! — проклинала я себя, впопыхах умываясь и одеваясь. Да еще и опоздаю сейчас... Какой позор... Ну почему так всегда?!? Каждый раз клянусь себе больше никуда не опаздывать, и каждый раз вспоминаю об этом, когда встреча вот уже 15 минут назад «началась», а я еще только натягиваю штаны... Это просто болезнь какая-то... Единственное утешение, что учителям, десять лет меня не видевшим, так, по крайней мере, легче будет меня узнать — они ведь в школе тоже чуть ли не ежедневно писали мне в дневник: «Опоздала».

В 13.45 зазвонил домашний телефон. Это была диспетчер такси (я почему-то успела про себя отметить, что голос уже другой, не той женщины, что звонила в первый раз):

— Девушка, водитель уже беспокоится! Вы когда выйдете?

— Сейчас-сейчас! Умоляю, пусть подождет! Сейчас выхожу, через минуту спущусь, — протараторила я в трубку, акробатически прижатую к уху плечом и подбородком, потому что одной рукой судорожно застегивала сапог, а другой варварски пыталась запихнуть в и без того раздутую сумку свою книгу, которую я, разумеется, цинично решила использовать в качестве подарка учительнице как законченная разгильдяйка, не успев вовремя купить настоящий «юбилейный» подарок.

Уже выбегая из квартиры, я затормозила перед зеркалом: нет, невозможно ехать с такой копной волос... Фирменный стиль Трегубовой: только что с постели.

Я вернулась, подбежала к раковине, намочила руки водой и напоследок попыталась хоть немножко пригладить волосы. И еще на несколько секунд задержалась перед зеркалом.

Именно эти секунды спасли мне жизнь. Потому что как раз в этот момент под моей дверью раздался взрыв.

* * *

Скорее, я даже не услышала взрыв, а увидела его. Потому что мое непричесанное изображение в зеркале вдруг слегка подпрыгнуло вверх, а потом опустилось на место. Квартиру тряхануло как при землетрясении. В первую минуту я подумала, что это взрыв бытового газа. Когда я была маленькой, то слышала, как из-за утечки газа взорвалось жилое здание в начале улицы Бирюзова на Октябрьском поле, неподалеку от моего родительского дома. А потом мы с Машей Щербаковой бегали смотреть, что от него осталось. Ничего хорошего эта картина не сулила.

Больше всего я испугалась за двух моих кошек: если начался пожар, как я их вынесу? Под мышками? Попробовал бы кто-нибудь взять этих зверей под мышки... Я с опаской подошла к входной двери и посмотрела в глазок. И ничего не увидела. Коридор был в дыму, а мой дверной глазок оказался весь заплеван какими-то мелкими белесыми ошметками. Мои кошки, в условиях мирной жизни рычащие как два воинственных трехцветных скимна, если кто-то чужой подходит к двери, тут притихли, как зайчики, и стояли возле меня с огромными, округлившимися от ужаса глазами.

Я почувствовала, что и меня слегка мутит от силы взрывной волны. Только спустя несколько мгновений я осознала, что звук взрыва был оглушительным,

Все еще думая, что речь идет об утечке газа, и, соответственно, решив, что нужно как можно скорее эвакуироваться, пока не взорвалось все здание, я приоткрыла входную дверь и попыталась выйти на разведку. Но тут же услышала окрик:

— Назад! Всем назад, бля! Закрыть двери!!!

Я только успела заметить, что и весь коридор снаружи, точно так же как и мой глазок, загажен какой-то мелкой белой говенной крошкой, и воздух весь как в молочном тумане, в котором кружится белая пыль.

В коридоре прямо перед моей дверью кто-то пробежал. Разглядеть, кто, через глазок было невозможно: только какая-то смутная движущаяся фигура справа от двери. Человек-невидимка закричал (видимо, в рацию, или в телефон):

— Срочно вызывайте опергруппу!

И тут до меня дошло, что речь идет не о газе.

* * *

Первой, кому я позвонила, была моя подруга Маша Слоним.

— Машк, ты будешь смеяться, но у меня под дверью только что что-то е.. нуло с дикой силой. Я думала, это газ. Но там кто-то бегает по коридору и кричит, чтобы вызывали опергруппу. Меня не выпускают из квартиры.

— Ну, Ленка, это тебе, похоже, твою посылочку из Америки принесли... — с мрачным юмором процедила Маша.

Речь шла о странном звонке мне на мобильный за пять дней до взрыва: позвонил какой-то мужчина, представился «службой доставки аэропорта «Шереметьево» (о существовании такой службы я ни до ни после никогда не слышала) и попросил продиктовать ему мой домашний адрес.

— На ваше имя пришла посылка, но тут написан только ваш мобильный телефон, а бирка с адресом оторвалась...

— А от кого посылка? — спросила я, сразу заподозрив что-то неладное.

— От какой-то американской фирмы... Тут название отправителя тоже оборвано.

Я сразу поняла, что это какое-то вранье: просто потому, что любой коммерческой фирме доставки, у которой вот так «случайно» все оборвано, заказчики конкретно «пообрывали» бы все на свете. Кроме того, в любой службе доставки всегда существуют накладные.

Я потребовала от собеседника, чтобы он дал мне телефон этой загадочной службы доставки. Он сказал: «Сейчас, сейчас», но на этом телефонный разговор вдруг тоже почему-то оборвался.

Свидетельницей этого странного телефонного разговора стала Маша — мы ехали к ней на дачу. У Маши тоже возникло какое-то нехорошее предчувствие:

— Ленка, запиши на всякий случай номер телефона, с которого он звонил. У тебя он определился на мобиле?

Как у двух настоящих маститых журналисток, у нас, конечно же, не оказалось с собой ни записной книжки, ни чистого листочка, и я оторвала маленький клочок бумажки от Машкиного расписания лекций, которые она в тот момент читала для региональных журналистов в школе «Интерньюз» в Домжуре.

Номер звонившего, который у меня высветился на мобиле, выглядел странно: он начинался на 824... Ни я, ни Маша не знали района Москвы, где телефоны начинались бы с таких цифр. На сотовый телефон он тоже не был похож — ни одна известная нам московская мобильная компания не имеет таких номеров.

Прошло часа два. Мы уже сидели у Маши и мирно ужинали. День заканчивался, но никакая «служба доставки» мне так больше и не перезвонила. Мне стало слегка не по себе. Чтобы как-то разрядить обстановку, я пошутила:

— Одно успокаивает, Машка: раз они выведывают у меня мой адрес, значит, в этом городе еще остался хотя бы кто-то, кто хочет сделать мне гадость, но у кого нет моего адреса...

Но спустя пять дней оказалось, что, если кому-то очень хочется сделать тебе гадость, твой адрес все равно найдут.

* * *

Забыла рассказать милую деталь: не поверите, в доме, где я живу, на первом этаже находится отделение милиции. А моя квартира на втором этаже. Поэтому человек, чей призрак я через полминуты после взрыва увидела в глазок бегающим под моей дверью, оказался милиционером.

Маша продиктовала мне телефон Московской службы спасения и попросила срочно сообщить им о взрыве. Я так и сделала.

А спустя еще несколько минут под моей дверью был уже целый консилиум. Кто-то громко обсуждал силу взрыва и направление взрывной волны:

— Вот видишь, взрывная волна шла вот так...

Как именно она шла (то есть как ее показывал этот человек,) для меня оставалось за кадром. Потому что дверной глазок у меня хотя и «рыбий глаз», с круговым обзором, но все равно это ж вам не перископ на подводной лодке. К тому же еще и загаженный крошками от взрыва. Поэтому все происходящее мне приходилось слушать через дверь, как радиоспектакль.

Мой телефон разрывался. Вернее, не один телефон, а оба: и мобильный, и домашний. Весть о взрыве разнеслась по городу моментально: просто потому, что смертельно перепугавшиеся за меня мои близкие друзья — в основном журналисты.

Первой информацию о взрыве выдала в эфир радиостанция «Эхо Москвы». И после этого вся информационная Москва взорвалась. Как потом признавались мне все коллеги, они уже давно, сразу с момента выхода в свет моей книги ждали чего-то подобного и всерьез опасались за мою жизнь. Но я, наивная, все еще продолжала из последних сил надеяться, что все происходящее — это какой-то бред, что сейчас дым рассеется и выяснится, что взорвался какой-нибудь невинный соседский баллон с газом, и умоляла корреспондентов, звонивших мне за комментариями, не торопиться с трактовками:

— Подождите минутку, не комментируйте пока ничего! Не разводите панику, пожалуйста, чтобы потом не выглядеть идиотами! Может, это какое-то недоразумение! Я сейчас еще раз попробую выйти в коридор и спросить, что произошло, — кричала я в трубку.

Но моя очередная вылазка в коридор закончилась быстро и безрезультатно. Я приоткрыла дверь на узенькую щелку и прямо под ней увидела тихого человека, который сидел на корточках и аккуратно собирал пинцетом с пола мелкие осколки и какой-то светлый порошок и раскладывал все это в крошечные целлофановые пакетики. Я тихо, чтобы не привлекать внимания стоящих рядом милиционеров, спросила его:

— Скажите, что произошло?

Тихий человек поднял на меня глаза и так же тихо ответил:

— Ничего не произошло.

Тут меня все-таки заметили милиционеры и загорланили:

— Девушка, сейчас же закройте дверь!

Я взмолилась:

— Слушайте, ну скажите мне хотя бы, что взорвалось? Поймите, мне звонят журналисты, спрашивают, что мне им говорить?

— Ничего не говорить, — приструнили меня блюстители порядка. — Закройте дверь.

Я успела заметить, что на полу валяется искореженный плафон от лампы, который сорвался с потолка (а потолки у нас в коридоре очень высокие, метров пять, наверное, дом старинный), исходя из чего я поняла, что, раз дошло до потолка, взрыв был действительно неслабый. Но когда я напоследок, выполняя распоряжение милиционеров и закрывая дверь, все-таки высунула голову и взглянула на дверь соседки напротив (примерно в полутора метрах от меня), то обомлела: перекрытие над дверью вышибло начисто, и там зияла огромная дыра. Тут до меня дошло, что моя дверь уцелела просто потому, что у меня дверь железная, а у соседки — деревянная.

Я вернулась в квартиру и пересказала ждавшим на трубке корреспондентам «Эха Москвы» все, что увидела.

Ужас заключался в том, что «Эхо Москвы», опасаясь, что моей жизни все еще угрожает опасность, оказывается, сразу выводило всю информацию в прямой эфир. То есть для них-то это как раз был не ужас, а наоборот — показатель высокого профессионализма. Но моей маме это чуть не стоило инфаркта. Я не успела набрать мамин телефон раньше, чем она услышала о взрыве по радио. Я не успела сказать ей, родной, что жива и невредима, и успокоить раньше, чем она, схватив валидол, в чем была бросилась из дома в метро (чтобы не стоять в пробке в такси) и поехала ко мне. А в метро ее мобильный не принимал. В общем, нетрудно себе представить и трудно описать, что она пережила за те 25 минут, пока добиралась до меня. Вернее, до моего подъезда. Потому что внутрь ее не пустила милиция.

Все входы и выходы были уже перекрыты, никого не впускали и никого не выпускали. Как потом рассказывал мне папа (которому я тоже не успела дозвониться и который в то же самое время, только из другого места, услышав по радио о взрыве, сорвался с работы и ехал в метро ко мне), «когда я подошел к подъезду, твоя мать-героиня уже готовилась брать штурмом подъезд, если бы я ее не остановил и не успокоил, милиционерам, которые ее не пускали, было бы не сдобровать...» По папиным рассказам, моя мама (скромный педагог) шла на таран и кричала, что если ее не пропустят к дочери, то «она сейчас всех уволит!»

* * *

Ситуация была бредовая. Больше часа меня держали фактически под домашним арестом. То есть никто, конечно, мою дверь никак снаружи не запирал, но, когда я пыталась выйти, мне орали: «Назад!» и захлопывали дверь. Без всяких объяснений.

Как ни странно, через некоторое время мне на мой домашний телефон перезвонили из Московской службы спасения (куда я по совету Маши позвонила сразу после взрыва и попросила прислать помощь) и спросили, нет ли у меня информации, о том, что же все-таки произошло и что явилось причиной взрыва. Из чего я сделала вывод, что их бригаду тоже не сразу подпустили к месту происшествия. Видимо, сначала там работали только оперативники и представители спецслужб.

Я уже не успевала отвечать на звонки, и мой перегревшийся телефон, который автоматически включал режим автоответчика, когда линия была занята, через пару минут сообщал, что у меня 35 новых сообщений. Которые я уже не успевала слушать.

Потому что по другому телефону надо было клясться десяткам звонивших друзей, что я в безопасности, пытаться успокоить родителей, стоявших уже в ста метрах от меня, но бывших не в состоянии из-за блокпостов добраться до меня, а главное — отбиваться от русских и импортных папарацци, которым не терпелось поскорее узнать, не оторвало ли мне случайно голову.

Впрочем, один папарацци оказался гораздо смекалистее и удачливее других. Каким-то неведомым мне способом узнав мой домашний телефон, ко мне прорвался корреспондент Владимир Кара-Мурза с телеканала RTVi (который в журналистском просторечии называют не иначе, как «Гусь-хоум-ТВ», потому что это последний телеканал, оставшийся после путинского раскулачивания в собственности у опального медиа-магната Владимира Гусинского) и задушевным голосом попросил выйти к ним через кордон милиции, потому что через час у них — выпуск новостей.

— Мы вас не будем мучить, мы просто покажем миру, что вы живы... — трогательно пообещал коллега.

До этого телеканал RTVi уже неоднократно давал в эфир интервью со мной по поводу выхода книги — например, когда была угроза, что тираж задержат в типографии, или когда прокремлевские цензоры изъяли из эфира телеканала НТВ репортаж Парфенова о моей книге. Короче, у меня были некоторые причины относиться к RTVi с небеспристрастностью, а вернее с симпатией. Просто потому, что, по сути, это последний неподцензурный русскоязычный телеканал, который, правда, видно на территории России только со специальными декодерами: он вещает в основном только на русскую диаспору в Израиле и США.

— Мы же ваши друзья, Лена! Мы искренне волнуемся за вас! — с подкупающей человечинкой в голосе увещевал меня Володя Кара-Мурза. — Не подведите нас, пожалуйста!

Я объяснила ему, так же как и сотням корреспондентов, звонившим до него, что и сама ничего не знаю о взрыве и что меня не выпускают из квартиры.

Но Кара-Мурза не сдавался. Через минуту он перезвонил снова и сообщил:

— Я тут переговорил с постовым милиционером, и он сказал, что вас выпустят на улицу, если вы скажете, что к вам приехали родители.

— Володя, к сожалению, ко мне действительно приехали родители, но они мерзнут на улице, и меня к ним не пускают. Я несколько раз пробовала выйти к ним.

— Ну, попробуйте еще, очень прошу вас!

Душещипательности в коктейле Кара-Мурзы было не меньше, чем наглости. И после двадцатой атаки я сломалась.

— Ну, хорошо, Володя, подойдите сейчас к выходу из подъезда, я попробую еще раз прорвать блокаду.

Собственно, блокаду прорвала не я. И даже не настырный корреспондент RTVi. А моя кошка. Сейчас все объясню по шагам. Я открываю дверь. Высовываю голову. И — о счастье! — вижу, что перед моей дверью никого нет. Делаю один шаг из двери, смотрю направо (моя дверь находится ровно посередине длинного коридора, который примерно через 15 метров и слева и справа, заворачивает за угол) и вижу, как из-за правого угла высовываются люди в милицейской форме, машут на меня руками и кричат: «Сюда нельзя, не выходите, здесь опасно!» Я быстро осматриваюсь кругом, вижу только загаженный коридор с обломками и осколками и не нахожу, что здесь такого могло быть опасного. Но понимаю, что направо ходить нельзя, потому что там меня все равно остановят милиционеры. Тогда я поворачиваюсь и делаю шаг налево. А там из-за левого угла коридора (за которым есть выход на улицу из второго подъезда, поскольку наш этаж — сквозной) высовываются какие-то люди в голубой форме. Тут я догадываюсь, что это, наверное, наконец, подъехала вызванная мной Московская служба спасения. Я им кричу: «Здесь что, правда, опасно? Можно я к вам подойду?» — но они не успевают ничего ответить. Потому что тут у меня между ног стремглав проскакивает моя старшая кошка Люся и рысью скачет — умная! — нет, не к милиционерам, конечно! — а в противоположную сторону, к Московской службе спасения. И тут уже, моментально забыв про любые мнимые и реальные опасности, я бросаюсь за ней с криком «Люся, Люся! Вернись! Тебя взорвут!»

Обычно мои кошки никогда не выходят из квартиры. Но тут Люсю мою, видимо, уже так достали сначала взрывом, а потом изнервировали наглыми криками за дверью да и вообще всем этим возмутительным для кошачьего достоинства принудительным домашним арестом, что она решила устроить акцию протеста.

Я догнала ее только в конце коридора у ног какого-то доброго парня в голубой спецовке, который уже наклонился, чтобы ее погладить. Схватив Люсю и прижав ее к груди, я спросила его:

— Вы знаете, что здесь произошло? Что взорвалось? Я здесь живу, а мне милиция вообще ни слова не говорит!

И спасатель, которого, видимо, коллеги из милиции тоже слегка достали своей активностью, ответил:

— Взрывное устройство. Самодельная бомба. Была прикреплена к ручке двери.

И тут я почувствовала, что теперь никакие силы уже не помешают мне выйти отсюда на улицу. Я набрала с мобильного телефон Кара-Мурзы и пересказала ему все, что только что услышала от спасателя. А то, что сообщил мне корреспондент в ответ, окончательно прояснило, почему милиция так долго держала меня взаперти в моей квартире, не давая выйти к прессе.

— Представляете, Лена, сейчас из вашего подъезда к журналистам вышел какой-то чин из Управления внутренних дел и сделал официальное заявление, что взрыв бомбы у вашей квартиры не имел к журналистке Трегубовой абсолютно никакого отношения и что он заранее исключает любые политические причины взрыва! Как вам это нравится?!

В абсолютном шоке, еще не веря до конца, что весь этот кошмар происходит наяву и со мной, не обращая больше внимания ни на какие окрики милиционеров, которые уже опять направлялись ко мне, я запустила кошку в квартиру, заперла за ней дверь и бросилась по тому спасительному пути, который мне только что указала Люся: ко второму подъезду, спуск к которому, как я надеялась, не оккупирован служителями правопорядка.

Беспрепятственно миновав группу спасателей и спустившись на первый этаж, я, однако, обнаружила, что и этот подъезд наглухо заперт и там дежурят три сотрудника милиции. Сначала, для того чтобы вырваться из плена, я попробовала поговорить с ними по-человечески:

— Там снаружи мерзнут мои родители.

— Ваши родители — у другого подъезда. Там все стоят.

— Да, но через тот подъезд вообще никого не впускают и не выпускают!

— Ничем не можем помочь. У другого подъезда стоит начальство. Идите обратно и просите у них разрешения.

И тут я поняла, что только несусветная настырность репортера Кара-Мурзы может вызволить ме-

ня из плена. Я вновь набрала с мобильного его номер:

— Вы можете прямо сейчас подойти ко второму
подъезду? Меня не выпускают.

Лицо телевизионного папарацци возникло с другой стороны стекла подъездной двери буквально
через секунду. А еще через секунду там же замаячил
его оператор с телекамерой.

Милиционеры запротестовали:

— Нам не велено журналистов пускать!

И тут я, вконец измученная и издерганная всем
происходящим, решилась на профессиональный
шантаж:

— То есть вы хотите, чтобы они снимали меня
прямо через эту решетку? (У нас в двери подъезда
вставлена декоративная решетка. — Е. Т.) Вы хотите, чтобы они дали в эфир, как вы меня не выпуска-
ете из моего собственного дома? Хорошо, — жестко
произнесла я и принялась вновь набирать номер
Кара-Мурзы.

Милиционеры еще раз оценивающе посмотрели
на меня, потом на Кара-Мурзу с его камерой, потом
на решетку, которая нас с ним разделяла, — и, видимо, быстро прикинув в воображении невыгодность

появления этого «тюремного» антуража в вечерних теленовостях, с неохотой, но отперли дверь.

Я выскочила на улицу, как пробка из бутылки, и, разумеется, тут же неблагодарно попыталась сбежать от Кара-Мурзы к родителям.

— Мамочка, где вы? Я только что вырвалась на улицу. Сейчас я вас найду! Не волнуйтесь... — кричала я маме в мобильный.

«Мама! Папа!» — скандировала я уже не в телефон, а в воздух поверх голов, тщетно пытаясь отыскать их в столпотворении и суматохе, царившей перед домом. Но тут вместо мамы на меня, как осы на варенье, слетелись коллеги. Сказать «коллеги» — значит ничего не сказать. Целый улей коллег. Несколько сотен «коллег» — знакомых и незнакомых, мировые агентства, фотографы, телеоператоры и радиостанции. Они облепили меня со всех сторон — обалдевшую, издерганную, дико волнующуюся за родителей, потому что они-то меня еще живой после взрыва не видели, — и без предупреждения направили мне в морду софиты и включили телекамеры и микрофоны. Первыми моими словами, как мне потом припоминали друзья, были:

— Ой, ребят, здесь что-то очень холодно ... Отпустите меня, а?.. (Я выбежала без пальто, в одном тонком, полупрозрачном свитере, который продувало насквозь.)

А первой моей мыслью под фашистски резкими софитами в удивительном жанровом соответствии с амплуа героини «Баек кремлевского диггера», было: «Какой ужас! Я ведь так и не успела причесаться, когда собиралась к Фриде»...

КРУТОЙ PR

— Елена, кто и с какой целью мог организовать это покушение на вас?

— Елена, только что пришло сообщение, что Путин зарегистрирован кандидатом на президентских выборах. Вы считаете, это покушение на вас связано с выборами?

— Как вы считаете: этот взрыв — месть за вашу критическую книгу о Путине «Байки кремлевского диггера»? Вы подозреваете Кремль в организации покушения?

— Вы останетесь в России после этого покушения?

Как я могла ответить на все эти вопросы, когда в голове вертелось только, что надо поскорее найти и успокоить родителей?

Я растерянно призналась пытавшим меня коллегам, что как журналист ошиблась в прогнозах:

— Вы знаете, недавно в нескольких интервью,
когда меня спрашивали, не боюсь ли я за свою жизнь
после выхода критической книги о Путине, я сказала, что на сто процентов уверена, что до президентских выборов никто меня и пальцем не тронет. И что
только после его победы на президентских выборах
мне придется всерьез заняться обеспечением собственной безопасности и безопасности моей семьи.
К сожалению, я оказалась плохим прогнозистом.

Все остальные вопросы я посоветовала коллегам
адресовать не мне, а человеку, который был в день
взрыва зарегистрирован кандидатом в президенты.
Например, как он относится к тому, что у него под
носом, в полутора километрах от Кремля, в самом
центре Москвы, на Пушкинской площади, в доме,
где находится отделение милиции, кто-то среди
бела дня только что спокойненько взорвал бомбу?

Мне рассказывали потом, что кадры, отснятые
там, у моего подъезда, показывали в тот день все
крупнейшие мировые телекомпании. И даже пара
российских телеканалов отважились дать в эфир
информацию о покушении в новостях, несмотря на
существовавший к тому времени уже больше двух

месяцев строжайший цензурный запрет из Кремля на упоминание на телевидении моего имени и моей книги. Правда, говорят, что российские телевизионщики предусмотрительно дали в эфир только картинку, без звука. Но и это в их подцензурном положении было, считай, актом гражданского мужества.

Друзья потом показывали мне в интернете фотографии, сделанные с телевизионных кадров, отснятых в тот момент: мягко скажем, бывали в жизни дни, когда я выглядела получше...

Но в тот день, как нетрудно догадаться, мне было уже не до того, чтобы любоваться, какой телеканал и как поиздевался над моей страшной, бледной, перевернутой физиономией с вытаращенными и округлившимися, как у моих перепуганных кошек, глазами.

Открою большой секрет: на самом деле в тот момент я совсем не была напугана. Скорее, я была крайне изумлена. И испытывала ужас при мысли о том, что делать дальше. С родителями. С жизнью. Со страной. Мне казалось, что все это происходит не со мной. Что так НЕ МОЖЕТ БЫТЬ.

Не знаю уж, случайно или нет, но как раз в тот момент, когда я с боями пробилась на улицу и стала отвечать на вопросы журналистов, милиция тут же сняла кордон и всех желающих начали спокойненько пропускать внутрь дома и выпускать наружу.

Предательски улизнув и от Кара-Мурзы, и от его коллег, я рванула к первому подъезду и нашла своих несчастных родителей, уже бежавших вверх по лестнице. Мы обнялись и расцеловались. Без слов. И я отвела их в свою квартиру.

Меня слегка удивило, что, когда мы подошли, никто из милиционеров, толпившихся на месте взрыва и прежде так отчаянно державших осаду, не выказал ко мне ни малейшего интереса и не захотел взять у меня официальные показания. Я подошла, представилась, назвала свое имя и пересказала коротко, как заказала такси и сказала по телефону диспетчеру, что выхожу, и как после этого раздался взрыв. Меня выслушали, но никто из них не сделал даже ни малейшей пометки в блокноте. После этого двое из них (которые показались мне там главными) как бы невзначай, будто случайно встретив меня где-нибудь на приятной вечеринке у друзей, спросили:

— Говорят, вы книжку какую-то написали? Дадите почитать?

Я зашла в квартиру, вынесла им авторские экземпляры своей книжки и подарила. Воспользовавшись удобным поводом, я попросила:

— Вы не могли бы оставить мне номера ваших телефонов и назвать ваши фамилии? Я все-таки хотела бы быть в курсе расследования.

Один из моих собеседников представился сотрудником московского городского управления внутренних дел, а второй — сотрудником Московского уголовного розыска.

Напоследок я, исключительно по собственной инициативе, чуть ли не насильно всучила им номер своего мобильного телефона, дико удивляясь и радуясь, что никто силком не ведет меня составлять нудные протоколы, а наоборот, все как будто нарочно делают вид, что меня не замечают.

Единственным человеком среди них, кто в этот момент проявил ко мне неподдельный интерес и даже заявил, что прочел от корки до корки «Байки кремлевского диггера», был — не поверите! — диггер! Но не «кремлевский», а настоящий главный московский диггер — Вадим Михайлов. Первым этого высоченного парня, у которого на каске так и было написано: «ДИГГЕР», заприметил мой папа:

— Алёна, смотри! Твой «тезка»!

— А-а-а! Так это вы та девушка, которая называет себя диггером?!? — возмутился Вадим. — Мы даже

2*

хотели на вас сначала в суд подавать, потому что вы в книжке присвоили себе наше имя! Но потом — смотрим, вы вроде совсем о другом написали и это у вас художественный образ...

Оказалось, что главный диггер, сам того не зная, приехал меня спасать. Когда поступил сигнал о взрыве, Московская служба спасения попросила его приехать «на случай, если придется вскрывать взорванную квартиру».

Как диггер диггеру, он подарил мне свою уникальную диггерскую визитку собственного изготовления со схемами секретных подземных коммуникаций Кремля и Москвы. И расстались мы уже не соперниками за бренд, а побратимами. Надо же было двум диггерам совершенно случайно сойтись вместе в одной точке при таких обстоятельствах!

* * *

А вот с родителями надо было срочно что-то делать. Их реакция на взрыв была для меня абсолютно неожиданной. Я была готова к тому, что мама будет рыдать. Но вот к тому, что мама будет смеяться, я оказалась абсолютно не готова.

— Витя, тебе чего дать: валидольчику или анапрелинчику? — смеясь неизвестно над чем, предлагала она папе лекарства.

Папа, тоже почему-то хохоча, отвечал, что свою дозу «колес» сегодня уже съел.

Через несколько минут до меня дошло, что этот нервный, почти истерический смех — от резкого прилива адреналина в кровь: сначала от дикого шока, когда, услышав о взрыве, они какую-то долю секунды думали, что меня уже нет, а потом от счастья, когда узнали, что я жива.

Я поняла, что им нужно срочно сменить обстановку, уйти из моего дома, и повела отпаивать их чаем в ресторан «Шафран» — уютное место с ливанской кухней (а если по-честному, то с самой что ни на есть еврейской уличной едой, которую я категорически не ем, приезжая в Тель-Авив и Иерусалим, но которой так приятно потчевать друзей в холодной Москве из-за горячих, а в тот день даже слишком горячих тематических израильских аллюзий) в Спиридоньевском переулке в трех минутах от моего дома.

В «Шафране» мне обрадовались как родной: после выхода книги официанты чуть ли не каждый день видели меня там с какой-нибудь очередной съемочной группой, с журналистами, которые брали у меня интервью. Так что «Шафран» уже давно превратился для меня, по сути, в собственный домашний буфет. Обидно было бы лишиться постоянного клиента из-за какого-то дурацкого взрыва.

Нас с мамой и папой усадили за самый уютный столик с мягким диваном и подушками в самом дальнем углу. К тому времени как нам принесли хумус, на нервной смех пробило и меня. И я осведомилась у родителей, уже тоже хохоча чуть ли не до слез:

— А что, собственно говоря, вы смеётесь? У вас дочь только что чуть не взорвали, а вы веселитесь...

Наверное, со стороны наша хохочущая неизвестно над чем троица, по-библейски обмакивающая лепешки в хумус, представляла в тот момент довольно страшное зрелище. До сих пор не могу спокойно сидеть за тем столиком в «Шафране». Больше всего я боялась, что у кого-то из родителей не выдержит сердце.

Поговорить друг с другом толком мы не успевали: сказать, что мой мобильный звонил «каждую секунду», значило бы приукрасить действительность. На самом деле он звонил по много раз в секунду. Просто, к счастью, технический прогресс еще не достиг таких высот, чтобы я могла принимать все эти звонки одновременно. Собственно, в тот день мне позвонила вся Москва. И еще полмира. Отключить телефон было невозможно, потому что легко себе представить состояние друзей, которые, узнав о взрыве и набрав мой номер, услышали бы, что «абонент безвременно недоступен».

Но вскоре раздался звонок от людей, которых моя судьба меньше всего волновала, хотя они вроде бы по должности обязаны были охранять мою безопасность.

— Елена Викторовна, вас беспокоят из Управления внутренних дел, Анатолий Анатольевич. Помните, вы нам оставили свой мобильный у вас перед дверью? Ай-ай-ай, Елена Викторовна... Зачем же вы интервью даете? Вы же нам сказали, что к родителям идете, а сами вышли к телекамерам интервью давать... Нехорошо! У нас тут начальство телевизор посмотрело и недовольно...

— Не поняла: вы что, хотите с меня взять подписку о неразглашении информации о покушении на меня? — возмутилась я.

— Ну, Елена Викторовна, зачем же вы говорите о покушении? Никто ведь не погиб!

Я расхохоталась:

— А-а, я поняла, чем вы недовольны. Но, простите, если бы покушение удалось, то рассказывать о нем было бы уже некому, вы не находите?

Между тем, я и так-то уже говорить почти не могла: язык заплетался от усталости. Я попыталась привести себя в чувство испытанным тинейджерским способом:

— Мне, пожалуйста, еще один большой, самый большой стакан колы-лайт со льдом, и с лимоном. Много льда и лимона, — слабым шепотом просила я официантку.

Скоро умерла смертью храбрых и батарейка телефона. И я оказалась уже в буквальном смысле привязанной к своему любимому ресторану — вернее, к стене справа от дивана, на котором я сидела. Потому что там нашлась розетка, в которую я и воткнула свою мобилу.

Именно оттуда в довольно странной, скривобоченной позе, сидя на краешке дивана и пригнувшись направо (влекомая шнуром подзарядки), я вынуждена была выйти в прямой эфир «Эха Москвы», радиостанции «Би-би-си» и дать интервью еще нескольким десяткам русских и западных СМИ. Меня уже даже не спрашивали предварительно, согласна ли я отвечать на вопросы, а просто звонили на мобильный и говорили:

— Добрый вечер, Елена, вы в эфире!

— Простите, но я уже была час назад у вас, в эфире «Би-би-си»...

— А это была другая программа...

Сил давать интервью больше не было. Я пыталась отшучиваться.

— Елена, вы напуганы взрывом? Ваш издатель десять дней назад заявил в интервью, что вы сели писать новую книгу. Вы не откажетесь от этой идеи после покушения? О чем будет ваша новая книга?

— Ну сами подумайте, о чем девушка может написать книгу после покушения? — стараясь говорить как можно более серьезным тоном, отвечала я очередному пытливому журналисту. — Конечно же, только про любовь.

Этот мой шутливый ответ кто-то растиражировал, и в интернете потом появились несколько заметок с «сенсационным» заголовком: «После покушения Трегубова обещает писать книжки только про любовь».

Только родители, сидевшие рядом и находившиеся примерно в таком же эмоциональном состоянии, что и я, оценили шутку:

— Да, Алёна, после таких ответов можешь скоро ждать новую «посылку» под дверью. Путин ведь подумает, что это ты про него писать собираешься...

И тут меня осенило: ну конечно же! Прав этот звонивший журналист: мой издатель ведь действительно совсем недавно сказал в интервью «Эху Москвы», что Трегубова села писать новую книгу, и на все расспросы «о чем?» отвечал, что пока это тайна. Елки-палки, как же я сразу не поняла. Наверняка какой-нибудь идиот решил: как это так? Она еще и новую книжку нам перед выборами выпустить хочет? В принципе весьма логично: сделать взрывное устройство стоит, наверное, гораздо дешевле, чем потом перед выборами изымать книжку из магазинов.

Я набрала номер своего издателя — директора издательства *Ad Marginem* Александра Иванова:

— Ну, спасибо тебе, Саша...

Саша не понял и переспросил за что.

— За то, что ты на «Эхе Москвы» объявил, что я новую книжку писать сажусь!

— Не понял, Лен... Это ж давно было, мы уж с тобой с тех пор разговаривали. Тебя что, поклонники, что ли, звонками замучили?

И тут я поняла, что Саша умудрился до шести вечера еще ни разу не включить ни радио, ни телевизор.

— Да нет, Саша, — разочаровала я его, — поклонники меня замучили не звонками, а взрывами.

* * *

Если мой издатель стал самым комичным примером человека, который до вечера не слышал новость, о которой к тому времени, казалось, знал уже весь мир, то совсем другой, родной мне человек в тот день, наоборот, крайне изумил меня тем, что к вечеру он все-таки узнал о покушении. Вы не поверите, я имею в виду родного брата. Сейчас объясню, в чем суть прикола. Пока я несколько часов подряд после взрыва с переменным успехом отбивала набеги орды племени папарацци, я была абсолютно спокойна за брата. В смысле, я была уверена, что он не беспокоится за меня. По одной простой причине: пока я ему не позвоню, он НИЧЕГО НЕ УЗНАЕТ О ВЗРЫВЕ. И даже не из-за цензуры на российском телевидении. Даже если б телевизор взорвался информацией о покушении, брат все равно бы этого не узнал: у него нет телевизора. Мой старший, любимый и единственный брат Григорий, является, наверное, единственным и уникальным в мире городским схимником, который абсолютно сознательно, из брезгливости к внешнему миру уничтожил у себя в комнате телевизор как класс.

Гриша, который в юности был моряком, потом бизнесменом, потом уехал в монастырь и стал послушником, потом уехал еще дальше и долгое время жил в скиту один-одинешенек в горах Абхазии, а потом все-таки вернулся в мир и сейчас живет у себя в московской квартире почти как в келье, но с любимой девушкой и компьютером, глубоко убежден, что телевидение вредит его внутреннему покою. Радио в принципе тоже. И как нетрудно догадаться, брат НЕНАВИДИТ журналистов. Ну, за исключением разве что меня.

Поэтому я на сто процентов была уверена: весть о том, что у младшей сестры проблемы, никто, кроме самой этой сестры, до него не донесет.

Именно поэтому, когда я уже довезла родителей до их дома на такси (которое заказывать по телефону из «Шафрана» я уже не решилась, подумав, что хватит и одного взрыва в день, и просто поймала его на Тверской), я слегка удивилась, когда на моем мобильнике высветился телефон брата. У Гриши срывался голос от волнения:

— Сестра, Ленка, ты жива?!? Что с тобой?!?

Брат, казалось, даже услышав мой голос, еще долго до конца не мог в это поверить и все время переспрашивал: «Ты ТОЧНО в порядке?!?»

А все из-за радио. Правильно брат делал до этого, что не слушал его. Потому что в тот день его хваленый «внутренний покой» был нарушен напрочь. По какому-то роковому стечению обстоятельств ему и его девушке Марине за ужином вдруг почему-то взбрело в голову послушать музыку. Они включили приемник на единственной российской радиостанции, которую иногда слушали (типа потому, что там ничего про политику не было, а наоборот, джаз), — радио *«On-line»*. Лучше бы не включали. Потому что первое, что они услышали на «аполитичном» радио, были слова несчастного кандидата в президенты Ивана Рыбкина:

— Вы представляете, как пострадала, наверное, от взрыва Елена Трегубова!

По рассказу Марины, брат чуть не лишился чувств. И, не слушая больше ничего, в полной уверенности из-за охов впечатлительного Рыбкина, что меня больше нет в живых или что я, как минимум, в больнице, Гришка дрожащими руками еле набрал мой номер. Хоть я и журналистка, но, оказалось, — все-таки родная и любимая.

В общем, после звонка брата я поняла, что теперь надо ехать успокаивать еще и его. Тем более что когда он звонил, родители сидели со мной на кухне. А когда я положила трубку, никого рядом уже не было. Я пошла искать их и обнаружила, что папа пластом лежит у себя в комнате на кровати с закрытыми глазами и сосет валидол, а мама без движения лежит в другой комнате на софе и улыбается мне, держась одной рукой за сердце. А рядом с ней на тумбочке — несколько тюбиков лекарств от давления. Продержавшись весь день героями, ободряя меня, не переставая шутить, ни полсловом, ни взглядом не подавая и виду, как им обоим тяжело, теперь, когда они уже добрались до дома и можно было расслабиться, родители вдруг разом почувствовали, как нечеловечески устали. Я поцеловала их и поехала к брату.

Гриша, как только я переступила его порог, выразительно запер дверь и строго заявил, что ни за что не отпустит меня больше домой, на место взрыва:

— Завтра я туда съезжу, заберу твои вещи. Поживешь временно у нас.

— У меня там кошки некормленные! — взмолилась я.

— А кошек временно отдадим маме, — безапелляционными тоном вынес приговор Гриша.

Мой строгий аскет вместе с музой Мариной усадили меня за стол, наварили огромную кастрюлю картошки — и, кажется, ничего вкуснее в своей жизни я не ела.

Мы вспомнили нашу предыдущую, праздничную, трапезу на дне рождения брата, за сутки до Нового, четвертого, года, 30 декабря. «Байки кремлевского диггера» уже два месяца были бестселлером во всех крупнейших магазинах Москвы. А мой родной брат их (не поверите) НЕ ЧИТАЛ. Принципиально. Он так мне и заявил: «Я лучше не буду читать твою книжку, чтобы не расстраиваться». Потому что его сестра, сами понимаете, не должна тратить свою жизнь на моральных уродов. А чтобы довершить воспитательный эффект, мой рафинированный Гриша тогда, перед Новым годом, спросил:

— Я вот думаю: сколько, интересно, вообще живут такие книги? Год? Полгода?

— Знаешь, честно говоря, меня больше интересует, сколько живут их авторы, — цинично призналась я.

Ну, в общем. Теперь меня накормили медом, «чтоб лучше спалось», и почти насильно уложили в постель, «чтоб не сбежала», а брат стал тихонько играть мне на флейте вместо колыбельной волшебные медитативные мелодии. Я засыпала, свернувшись калачиком под теплым одеялом, слушая эту нежную музыку, так сильно диссонировавшую со всем, что я пережила, и видела уже сквозь пелену сна, в мягком, рассеянном свете диковинного абажура, который Гриша сделал собственноручно из куска холста и разноцветных лоскутков и колокольчиков, фантастические тени от букетов засушенных полевых цветов, развешанных по стенам, и чувствовала себя как в лесной избушке доброго волшебника, которому все перипетии моей жизни, политика, конфликты с Кремлем представлялись мифом, иллюзией, майей. Мы находились в нескольких километрах от Кремля, но я готова была поклясться, что хозяин этой волшебной, нереальной кельи в центре мегаполиса на сто процентов убежден в нереальности существования и Кремля, и Путина, и вообще всех странных суетных существ из внешнего мира. И лишь одному пришельцу они готовы были предоставить убежище.

Так закончился этот ужасный день. Я заснула. Как ни дико это звучит, заснула счастливой. Я была жива. И благодарна Богу за это. И вокруг меня были любящие меня люди.

А через два дня у мамы случился гипертонический криз, и две недели не удавалось стабилизировать ее зашкаливавшее давление. Я думаю, теперь вы понимаете, как мне хотелось дать в морду коллегам-журналистам, которые после покушения при встрече не без зависти спрашивали, довольна ли я таким удачным пиаром своей книжки.

ДОПРОС

На следующее утро после взрыва я проснулась под резкие звуки «Венгерских танцев» Дворжака. Засыпала вроде под слегка другую музыку... Я, со стоном протирая глаза и, к сожалению, моментально восстанавливая в памяти весь кошмар вчерашнего дня, потянулась к мобильному телефону — это он надрывался все громче и громче бравурной мелодией. Было девять часов утра, а я только в пять заснула. Кому взбрело в голову звонить так рано? Все друзья знают, что я никогда не встаю в это время. Или опять нашелся кто-то, кто все проспал и услышал о взрыве только что? Нет, похоже, вчерашний кошмар будет продолжаться вечно...

— Елена Викторовна? Доброе утро! Не разбудил?

— Конечно, разбудили, — честно призналась я. — Кто это?

— А это Владимир Романов из Московского уголовного розыска. Вы нам вчера свой номер телефона оставили, помните, у своей квартиры?

— Еще как помню. Вчера уже ваш коллега из ГУВД вечером звонил и выражал недовольство, что я сообщила журналистам о покушении.

— Да нет.. То есть да... Ну, в общем, тут, понимаете, такая история... Тут из-за всех этих вчерашних репортажей и из-за сегодняшних статей во всех газетах о взрыве наше начальство недовольно... То есть начальство недовольно тем общественным резонансом, который вокруг этого возник. Ну, в общем, из-за того, что возникло такое внимание общества к этому инциденту, нам тут велели взять у вас показания... Вы не могли бы к нам заехать?

Я была впечатлена такой искренностью. То есть, если бы «общественного резонанса» из-за покушения не было бы, то никто бы вообще расследовать взрыв не стал?

— Конечно, я могу заехать к вам. Скажите, куда и когда.

— Ой, а вы могли бы прямо сейчас, как можно быстрее? А то начальство нас уже ругает, торопит...

Я наскоро умылась и оделась, недоумевая, почему вдруг у начальства правоохранительных органов спозаранку возникла такая спешка. Ведь вчера все делали вид, что меня не замечают, и даже выступили перед журналистами с заявлениями, что взрыв бомбы под дверью журналистки Трегубовой не политический и вообще не имеет к ней никакого отношения.

И тут я вспомнила, что после вчерашнего звонка из милиции с требованием не рассказывать журналистам о покушении, я заявила в интервью одной из российских газет, что «ответ на вопрос о заказчиках покушения стоит искать в том факте, что после покушения милиция отказалась взять у меня официальные показания». Видимо, газета эту фразу опубликовала, и теперь они поняли, что если делу не дать официальный ход — то будет неприлично, — наивно подумала я.

А через несколько минут мне позвонил представитель всемирной организации «Репортеры без границ»:

— Елена, генеральный секретарь нашей организации Робер Менар только что принял специальное заявление в связи с покушением на вас. Письмо официально направлено генеральному прокурору России с требованием провести законное, добросовестное расследование взрыва.

И тут я поняла, что, пока спала, взрыв в моем подъезде действительно успел взорвать журналистское сообщество во всем мире.

Нарушив обещание, данное накануне брату, не выходить без него утром из квартиры, я выскочила из дома и купила в ближайшем киоске несколько свежих российских газет: в КАЖДОЙ из них было сообщение о покушении. И это несмотря на негласную, но тотальную цензуру, введенную Кремлем перед выборами.

Стало ясно, что звонивший мне представитель уголовного розыска не лукавил: руководство силовых структур действительно оказалось припертым к стенке резонансом, который вызвал взрыв. И теперь, перед выборами, в Кремле будут вынуждены хотя бы сделать вид, что поручили силовикам искать заказчиков и организаторов покушения.

Я выбежала на Кутузовский проспект, поймала такси и, едва сев в машину, принялась рассматривать первую попавшуюся публикацию про взрыв.

— Какой ужас... — не удержавшись, простонала я, увидев на развороте газеты свою вчерашнюю физиономию с вытаращенными глазами.

И тут таксист с подозрением посмотрел на меня:

— Девушка! То-то я думаю: где я вас раньше видел? Так я ж вас вчера в теленовостях видел! Вас же взорвали! Так мы туда, что ли, и едем, где взорвали? На Пушкинскую? К вашему дому?

Я рассмеялась:

— На Пушкинскую. Но не домой, а в уголовный розыск. Извините...

Я подумала, что ситуация еще хуже, чем я себе представляла: теперь меня не только узнают на улицах, но еще и знают, где я живу.

* * *

Впрочем, адрес МУРа, куда я должна была приехать, прозвучал для таксиста и вовсе как легенда. Признаться, и для меня тоже. Несмотря на то что за свою журналистскую карьеру я уже успела побывать во всех, даже самых закрытых культовых зданиях власти России, начиная от Кремля и кончая Лубянкой, тем не менее на Петровке, 38, я еще не была никогда. Кто бы знал, что попасть мне туда придется при столь драматических обстоятельствах, и не для того, чтобы взять интервью, а для того, чтобы дать показания.

Я остановилась перед внушительного вида военизированной проходной, за которой скрывалась легендарная ставка российских государственных сыщиков.

«Легенда легендой, — подумала я, — но лучше все-таки подстраховаться», затормозила перед входом и набрала номер своего друга с диссидентским стажем, главного редактора одной из интернет-газет:

— Слушай, меня тут пригласили в уголовный розыск дать показания. Запиши на всякий случай фамилию и телефон человека, к которому я иду. Кто знает, каких еще провокаций можно ждать после вчерашнего. Сейчас я вхожу внутрь. Сколько может длиться снятие показаний? Часа два? Если через два часа я тебе не перезвоню — ты знаешь, что делать.

И только после этого я перешагнула порог здания, воспетого советскими детективами. Мой вчерашний знакомец, следователь Владимир Романов всем своим видом сразу развеивал любую настороженность. Симпатичный и довольно молодой парень, он почему-то выбежал встречать меня к проходной в летней бейсболке, несмотря на то что на улице было градусов 20 мороза. По дороге в его кабинет я, готовясь к долгому и нудному разговору, вспомнила мамины вечные наставления: «Всегда нужно попи́сать перед долгой дорогой, чтобы уютно себя чувствовать», и попросила товарища Романова показать, где у них в уголовном розыске дамский туалет. Он смутился, но проводил меня. Туалет у женщин-сыщиков оказался хорошо отремонтированным — как принято говорить среди московских риелторов, «под евроремонт». Это несколько диссонировало со всем остальным зданием: длинные коридоры с обшарпанными стенами, заставленные какой-то рухлядью, производили, мягко скажем, гораздо менее роскошное впечатление, чем, скажем, апартаменты главы ФСБ на Лубянке. «Это у нас ремонт», — как будто извиняясь, сказал Романов и провел меня в свой кабинет — тоже более чем скромную комнату со старой мебелью, которую он делил еще с одним неизвестным мне сотрудником. Везде царил до боли знакомый мне по визитам в другие чиновничьи учреждения запах тлена бумаг, который десятилетиями не выветривался изо всех бывших советских организаций.

Следователь сразу усадил меня рядом со своим столом и достал официальный бланк с названием: «Объяснение».

— Елена Викторовна, скажите, перед взрывом вам кто-нибудь угрожал?

— Ну, после того как вышла моя книжка «Байки кремлевского диггера», министр печати и информации Михаил Лесин передал мне, что этой книгой я «выписала себе «волчий билет»». Но, надеюсь, он имел в виду не то, что меня взорвут. А то, что меня уволят и больше нигде в России на работу не возьмут.

Следователь крякнул и ничего в своем листочке не записал.

— Нет, я имел в виду, есть ли у вас основания полагать, что у вас есть враги, недоброжелатели?

— Ну, мне рассказывали, что Путин был в ярости, когда прочитал мою книгу... И еще несколько его приближенных в Кремле... Но я их своими врагами не считаю. Считают ли они себя моими врагами — это уж вы у них спросите.

Следователь опять хмыкнул себе под нос, и его бумажка для записи показаний вновь осталась девственно чистой.

— Нет, я вас спрашиваю о другом: напрямую вам кто-нибудь угрожал? Грозил расправой?

Я рассмеялась:

— Вы что, считаете, что обычно о покушении жертве заранее сообщают через газету?

Разговор не клеился. Следователь для порядка, чтоб хоть что-то записать в свою бумажку, спросил меня, когда я родилась. А потом неожиданно, обрадовавшись, вспомнил безобидный вопрос:

— А конфликтов с соседями на бытовой почве у вас не было? Припомните хорошенько!..

Я решила, что пора брать дело заполнения пустот в протоколе в свои руки. Я подробно рассказала, как накануне вызвала такси и сказала по телефону диспетчеру, что выхожу, и как, к счастью, задержалась, и что как раз в этот момент прогремел взрыв.

— Видимо, телефон прослушивали, — поделилась я со следователем подозрением. — Еще на прошлой неделе был странный звонок... — и рассказала ему, как неизвестные требовали продиктовать мой домашний адрес, уверяя, что привезут мне посылку из Америки.

Я порылась в сумочке и — о чудо! — в вечно царящем там бардаке нашла огрызок расписания лекций Маши Слоним в «Интерньюзе», на обратной стороне которого мы с ней, заподозрив неладное, записали определившийся номер звонившего мне лжекурьера почтовой службы.

Следователь оживился:

— И вы дали им свой адрес?!?

— Я что, похожа на идиотку? Сильно подозреваю, что и звонившие мне люди тоже прекрасно понимали, что я не идиотка и никакого адреса им не дам. Более того, догадываюсь теперь, что и адрес-то мой у них уже был. Просто они таким способом, понимая, что я сразу почувствую подвох, видимо, пугали меня. Чтобы я знала, что кто-то держит руку на моем пульсе.

Мой собеседник заглянул в клочок бумажки со странным телефонным номером (помните, я рассказывала, как мы с подругой терялись в догадках, откуда поступил звонок, потому что в Москве не существует ни районов, ни сотовых компаний с такими номерами?) и в ту же секунду радостно воскликнул:

— А-а! Ну, конечно! Это ж вам с таксофона звонили! С улицы, из телефонной будки. Судя по телефону, это где-то в районе Красной Пресни... рядом с Белым домом.

Тут наш разговор прервали. Романову кто-то позвонил, и он начал в телефонную трубку пересказывать наш с ним предыдущий разговор:

— Да, только что выпустила книжку про Кремль... Работала в «Коммерсанте»... Уволена после выхода книги...

«Вот, видите, начальство меня про вас спрашивает...» — отчитался он мне через минуту, указав взглядом на грязноватый потолок.

Тут в кабинет без стука вошел тот самый Анатолий Анатольевич, с которым я познакомилась у двери своей квартиры сразу после взрыва, и который, представившись мне сотрудником московского городского управления внутренних дел, попросил меня подарить ему мою книжку. И который после этого звонил мне вечером и передавал возмущение какого-то неназываемого «начальства» по поводу того, что я давала интервью.

Он бодро подошел к столу Романова, поздоровался со мной и, стоя как бы в непринужденной, неофициальной позе, начал убеждать меня, что даже если бы я вышла из квартиры в ту секунду, когда пообещала водителю, то взрыв бомбы меня бы не убил:

— Ну, ма-а-ксимум, вы потеряли бы зрение и слух!

Романов тоже встал, как бы подчеркивая, что эта часть беседы не для протокола, и горячо присоединился к уговорам товарища:

— Да! Вы не пугайтесь! Вы только потеряли бы слух и зрение! Да и то, скорее всего, временно! Потому что в большинстве случаев после взрыва такого устройства зрение и слух потом возвращаются... Мы прекрасно знаем этот тип взрывного устройства!

Тут я чуть дар речи не потеряла.

— То есть... Как это... вы «прекрасно знаете»?

— Да! — радостно подтвердил Романов. — Это светозвуковая граната, которую спецслужбы используют для разгона мирных демонстраций! Если такая граната разорвется рядом с человеком, то он просто на время теряет ориентацию. Это типовое взрывное устройство, изделие МВД, номер... (тут он назвал серийный номер).

Я просто обалдела. Мне вот так запросто рассказывают, что у меня под дверью взорвали «изделие МВД», то есть бомбу, изготовленную милицией. Да еще и которую «обычно» используют спецслужбы...

Но на десерт меня еще ожидал самый интересный поворот беседы. Когда гость из МВД ушел и я подписала коротенький протокол (где, разумеется, не было никаких интригующих подробностей про запатентованную МВД потерю зрения и слуха), следователь задушевно, как бы невзначай, по-дружески, спросил:

— А вы случайно незнакомы с неким Литвиненко?

Фамилию бывшего полковника ФСБ Литвиненко в московской тусовке знают, разумеется, все — кроме, разве что, моего маниакально аполитичного брата. После прихода к власти Путина этот бывший сотрудник ФСБ сбежал в Великобританию и выступил с сенсационным скандальным заявлением, что российские спецслужбы причастны к организации взрывов жилых домов в Москве в 1999 году, после которых на волне ненависти к чеченцам Путин развязал новую войну, и из непопулярного чиновника был всего за пару месяцев раскручен подцензурными государственными телеканалами как герой и спаситель нации.

— Нет, я с ним лично незнакома, — честно призналась я. — А почему вы меня спрашиваете об этом? Какое это имеет отношение к теме нашей беседы?

— Ну, как же... Я вас спрашиваю потому, что в вашей книге ведь примерно о том же написано, о чем и Литвиненко все время говорит: о том, что Путин и ФСБ причастны к взрывам жилых домов.

— Ну, это ваша трактовка изложенных мной фактов, — поправила я следователя. — Я такого не писала.

— А-а... Ну, ладно тогда... Я подумал: вдруг вы знакомы... — протянул Романов и начал прощаться.

А уже по дороге обратно к проходной он признался мне:

— А я, знаете — специалист по взрывам. Я занимался и расследованием событий на Дубровке...

Мне стало как-то слегка не по себе из-за того, что чуть было не попала в страшный ряд нерасследованных взрывов путинской эпохи, которые перечислил следователь уголовного розыска.

* * *

Пока я сидела на допросе, я знала, что мне делать: отвечать на вопросы. А вот когда вышла из МУРа на улицу, что мне делать, я уже не знала.

Светило яркое солнце. И это вроде бы поднимало настроение. Но мороз при этом стоял такой, что, казалось, еще секунда, и со звоном упадут на асфальт и уши, и нос. И это усиливало ощущение бездомности. Потому что я поклялась родным, что «одна» домой не пойду.

— Ты что, сумасшедшая! — орал на меня накануне брат. — Эти придурки уже не остановятся! Если они уже знают твой адрес, им не составит труда подкараулить тебя теперь в любой момент! В этот раз не получилось взорвать — завтра получится! Никуда ты не поедешь одна! Поживешь пока у нас, а потом снимешь себе квартиру где-нибудь на окраине!

Логически я понимала, что брат прав. Но в квартире сидели мои напуганные кошки, которые, в отличие от меня, провели ночь после взрыва одни, и их никто не кормил и не утешал. К тому же там компьютер, интернет... И к тому же — ну не трусиха же я, в конце концов!

Соблазн был тем более велик, что от МУРа до моего дома — семь минут пешком. А бегом по морозцу — так и вообще...

И тут я решилась на военную хитрость. Добежав, заодно согревшись, до своего дома, я вошла в подъезд, но отправилась не на второй этаж к своей квартире, а на первый — прямиком в отделение милиции. Там сидел какой-то заспанный и перепуганный человек, которого именно в этот момент явно «имело» по телефону начальство.

— Да. Списки жильцов составлены. Сверяем. Проверяем. Начинаем, — отрывисто отчитывался он.

Когда я подошла, он чуть со стула не свалился.

— Ой, а я-то вас уже с девяти часов жду! Я вам там в двери и записочку оставил, чтобы вы знали, что я там, у вас, был, что я к вам приходил! — с подозрительной любезностью отрапортовал милиционер.

Долго гадать о причинах столь нетипичных интонаций поведения не приходилось: просто его сегодня, видимо, разбудили звонком еще раньше, чем меня. И теперь он по приказу начальства активно изображал бурную деятельность.

Я кротко попросила:

— Простите, я только что из МУРа. Давала показания по поводу взрыва. Вы не будете так любезны проводить меня в мою квартиру? А то, сами понимаете, неуютно как-то туда одной идти...

Ловко ввернутое мной упоминание МУРа произвело на милиционера именно то магическое действие, какого я и ожидала.

— Ну, конечно! О чем речь! Я и сам хотел вам предложить! И вообще — всегда к вашим услугам!

Когда мы подошли к моей двери, я обнаружила вставленный уголком в замочную скважину листочек бумажки. Это действительно была записка от несчастного участкового, который не поленился написать мне точное время своей первой явки к моей двери: 9.15. На всякий случай.

Рядышком в дверную щель была аккуратно вставлена еще и его личная визитка. До таких высот сервиса моя родная милиция никогда еще не доходила.

Таким образом, благодаря отзывчивому участковому и волки были сыты, и овцы целы. Я попала к себе домой. Но и перед братом, когда через пару часов он проснулся и начал со скандалом трезвонить «ты где?!?», я смогла отчитаться, что вошла в квартиру не одна, а с милицией. Можно считать, даже перевыполнила обещание.

Открывая свою дверь, я вспомнила рассказы моих друзей-горнолыжников: если ты попадаешь в расщелину и не можешь выбраться сам, то, после того как приезжают эвакуаторы и вытаскивают тебя оттуда, надо обязательно встать на лыжи и самому спуститься с горы. Потому что если ты не встанешь на лыжи в этот раз — то потом уже не встанешь на лыжи никогда. Таков закон преодоления психологического шока.

Так же и я в тот момент четко поняла: если я не войду в свою квартиру в этот день, то, значит, не войду в нее больше никогда.

МАЛЕНЬКАЯ ОШИБОЧКА

Так уж, видно, на роду написано у моей подруги Маши Слоним: каждый раз случайно оказываться рядом в критический момент моей истории. Так произошло и в день после взрыва. Когда я вопреки обещанию своим родным и друзьям все-таки вернулась (с помощью вышеописанной военной хитрости, с милиционером) в свою квартиру, Маша, дико волновавшаяся за мою жизнь, тоже, в свою очередь с помощью военной хитрости, пыталась увезти меня к себе в загородный дом. Заехала и предложила просто немножко покататься в ее новеньком красненьком кабриолете «Пежо» с космической отъезжающей крышей (которая по случаю морозов, разумеется, была застегнута на все пуговицы) и по дороге обсудить происшедшее.

И, как вы, наверно, уже догадались, едва мы сели в машину, раздался... нет, не взрыв, а очередной телефонный звонок. Но на этот раз (в отличие от предыдущей нашей поездки к Маше) звонил даже не анонимный курьер, желающий принести мне бомбу в посылке из Америки, а мой бывший коллега по газете «Коммерсант» из отдела криминальных расследований.

— Елена, моя фамилия Жеглов, — брутально представился он. — Я хочу предложить вам выгодную сделку.

Признаться, когда я услышала его фамилию, то была готова на любую сделку еще до того, как выслушала ее содержание. Просто из-за очередной топорной стилистической шалости криминального фарса, писавшегося на моих глазах, да еще и с моим участием в главной роли: за один день мне довелось не только впервые в жизни побывать в легендарной цитадели советского уголовного розыска, но еще и познакомиться с двойником харизматического советского сыщика из «Место встречи изменить нельзя».

— Я несколько лет проработал в девятом управлении ФСБ, — сразу объявил мне «живой» Жеглов, журналист газеты «Коммерсант».

Суть сделки он изложил мне так:

— Вы даете мне информацию о содержании вашей сегодняшней беседы со следователем уголовного розыска, а я вам за это даю информацию, полученную по моим каналам, о том, какое на самом деле взрывное устройство вчера у вас сработало.

Я сразу разочаровала звонившего, сказав, что информационный товар, который он мне предлагает — залежалый:

— Следователь уголовного розыска уже сообщил мне тип взрывного устройства. И даже успокоил меня, что я «максимум» потеряла бы зрение и слух, если бы вышла из своей двери вовремя, когда обещала водителю такси.

— Вот в том-то и дело, Елена, что со взрывным устройством маленькая ошибочка вышла, — поправил меня Жеглов. — На самом деле у вас там было заложено самое настоящее самодельное взрывное устройство, мощностью шестьдесят—семьдесят граммов в тротиловом эквиваленте. То есть, чтобы вы могли себе представить, насколько оно мощное, скажу: это мощность нормальной боевой ручной гранаты...

— Не понимаю... То есть... Вы хотите сказать, что, если бы я вышла...— пытаясь отмахнуться от этой информации, как от дурного сна, переспросила я.

— Я хочу сказать, что вам это нетрудно себе представить: если ручная граната НЕ попадает в вас, то с вами все в порядке. Но если она в вас ПОПАДАЕТ, то есть если вы оказываетесь в эпицентре взрыва, то... тогда, в общем... с вами тоже было бы уже «всё в порядке»... Только в другом смысле...

Честно признаться, в эту секунду я почувствовала, что у меня слегка холодеет позвоночник.

— Но следователь мне сказал... Они меня уверяли что я осталась бы жива...

— Минимум, что у вас было бы, если бы очень повезло, — это сильнейшие ожоги и баротравма. Мы с вами сейчас не разговаривали бы. Вы были бы сейчас в реанимации под капельницей. И это в лучшем случае. Ну что, вы согласны на сделку, которую я предлагаю? Вы хотите знать все подробности?

Я на мгновение просто онемела и смогла привести себя в чувство, только внушив себе, что относиться ко всему этому кошмару, который я слышу, должна как журналистка — к ценной информации, а не как жертва несостоявшегося покушения, которая имела все шансы прохлаждаться сейчас уже не в салоне Машиного «Пежо», а в морге.

— Говорите. Я, конечно, поделюсь с вами всей информацией о разговоре на Петровке.

Подробности, которые я услышала от Жеглова, едва ли могли обрадовать моих близких:

— Итак, как я уже сказал, мощность бомбы составляла шестьдесят—семьдесят граммов по тротиловой шкале. На месте взрыва обнаружены шнур длиной двадцать метров и батарейка, то есть был использован электрический детонатор, и человек, который привел в действие взрывное устройство, видимо, прятался за углом вашего коридора на расстоянии этого двадцатиметрового провода, чтобы взрывом не повредить и себя самого.

Только в эту минуту личность неудавшегося убийцы обрела для меня реальные очертания. И это тоже, признаться, было ощущение не из приятных. Одно дело — думать, что, ну, вот росла себе граната где-нибудь на дереве, а потом взяла и взорвалась у меня под дверью. А другое дело — представлять, что живой конкретный человек в тот момент, когда я стою у зеркала и собираюсь выходить, устанавливает «подарочек», разматывает шнур, прячется за углом... А самым неприятным было, наконец-то, осознать, что этот человек (или люди), хотевший меня убить, вот сейчас где-то ходит по городу и, возможно, даже где-то совсем рядом со мной. И наверное, он, точно как в типовых американских фильмах про маньяков, где-нибудь в баре смотрит телевизор и про себя смакует сообщения о покушении: «Вот, это я сделал, и теперь про то, что я сделал, все говорят».

— Постойте, а как они все-таки узнали, что я именно в этот момент должна была выйти? Прослушивали телефон?

— Ну, с прослушкой сейчас никаких проблем нет. Технические средства сейчас для этого практически неограничены. Принципиального значения это не имеет. А вот информация о взрывном устройстве у меня абсолютно точная, поверьте.

— Простите... — решилась я после паузы задать вертевшийся на языке вопрос, — ...но если у вас есть эта информация о типе взрывного устройства из ваших источников в спецслужбах, то почему следователи уголовного розыска убеждали меня сегодня совершенно в противоположном? Откуда они тогда вообще взяли эту версию о «светозвуковой» гранате?

— Все очень просто: они эту информацию вычитали сегодня утром у меня в статье в газете «Коммерсант».

Разумеется, я не поверила.

— Клянусь вам, все так и было! — заверил меня собеседник. — Они там в уголовном розыске и сами ничего не знали! Они знают только то, что им «сливают»! А вчера после взрыва кто-то распустил слух, что это светозвуковая граната. Каюсь, я тоже сначала стал жертвой этой дезинформации и опубликовал эти непроверенные сведения в статье. А потом, сегодня, я уже все перепроверил. Так что в уголовном розыске вам сегодня просто мозги полоскали. Обещаю: завтра в газете появится опровержение.

Сразу вам скажу: очень скоро мне предоставилась возможность убедиться, что Жеглов сказал правду. Встретившись в следующий раз со следователем уголовного розыска Романовым, я спросила его:

— Зачем же вы меня обманывали про «безобидное» светозвуковое устройство? Мне рассказали, что это была бомба, мощностью эквивалентная ручной гранате.

Я прекрасно понимала, что своим вопросом ставлю следователя в тупик: для него одинаково невозможно сознаться как во вранье, так и в том, что у него не было на тот момент точной информации.

Но следователь оказался не промах. Он пошел по третьему пути:

— Ну... Елена... понимаете... мы просто хотели вас успокоить...

Но это были еще не все интригующие подробности, раскрытые мне суперосведомленным коллегой Жегловым.

По его версии, специальное информационное ведомство президента, занимавшееся пропагандистскими «спецоперациями», только что «слило» на ленту официального новостного агентства дезинформацию, что покушение было совершено якобы на моего соседа.

Я опешила:

— Это на какого, интересно, соседа? В эпицентре взрыва были три квартиры: первая — моя, вторая — напротив — квартира соседки, пожилой, тишайшей, безобидной дамы с котом-кастратом. А третья — пустая квартира, где уже много лет никто не живет, наискосок от меня. Там к рукоятке двери, как мне сказали следователи, и было прикреплено взрывное устройство, и ровно там, в эпицентре взрыва, я и должна была оказаться, если бы открыла дверь.

— Правильно. Вот против «жильца» нежилой квартиры, согласно версии, опубликованной только что в агентстве, якобы и был направлен взрыв. Якобы там живет какой-то мелкий мошенник Скляр, которому якобы могли отомстить его подельники.

У меня уже не осталось сил ни удивляться, ни расстраиваться.

— Что это за бред? Нет там у нас никакого Скляра! Спросите любого из соседей!

— Да не волнуйтесь вы! Все уже понятно с этой дезой... Мы нашли по своим каналам имущественные документы на эту квартиру, из них абсолютно четко следует, что упоминаемый «жилец» Скляр там давно уже «не жилец», он продал квартиру пять лет назад. Более того, эта квартира вообще уже давно официально выведена из жилого фонда и признана непригодной для проживания, там пустующее складское помещение. А самое смешное, что гражданин Скляр, на которого, по версии официального агентства, вчера покушались, как мы выяснили, вообще сидит в тюрьме! Завтра я эту информацию обязательно опубликую в статье.

Я выполнила обещание и в ответ пересказала своему бывшему коллеге то, о чем меня несколько часов назад спрашивали следователи на Петровке. А потом спросила:

— Вот вы, я вижу, действительно опытный сотрудник... бывший, извините. Как опытный специалист, что вы мне посоветуете: имеет ли мне смысл сейчас срочно переезжать, снимать квартиру в другом районе? Какие вообще меры безопасности вы мне посоветовали бы предпринять?

Жеглов загадочно помолчал, а потом сказал:

— Ну, если это действительно не вы с вашим издателем устроили этот взрыв для самопиара...

Тут я уже расхохоталась:

— Слушайте, вы должны выбрать что-то одно: либо мой самопиар, либо месть Скляру. Вы не находите?

— Так вот, если действительно не вы организовали это покушение саму на себя, — спокойно, тоном лектора продолжил Жеглов, — то, на мой взгляд, есть два варианта: либо это Контора, либо это какие-то психически неуравновешенные поклонники Путина, которые решили вам отомстить за книгу о Кремле. Так вот, если это какие-то мелкие отморозки-экстремисты — то сменить квартиру вам обязательно нужно, и чем скорее, тем лучше. Потому что даже если у них есть крыша в спецслужбах, как это чаще всего бывает, то эта крыша — не глобальная, и поэтому информационные и поисковые возможности у них ограниченные. На то, чтобы снова найти вас по базам данных, им понадобится время. А вот в случае, если имеет место первая версия, то... — тут мой осведомленный собеседник опять сделал внушительную паузу.

— Ну, что? Что? Говорите же! Представьте, что к вам обратился бы за советом кто-нибудь из ваших близких! — взмолилась я.

— В случае, если справедлива эта версия, — с расстановкой продолжил он, — то можете никуда уже не переезжать. Бесполезно. Потому что, если это Контора, они вас везде найдут. Если они захотят вас устранить, то они это смогут сделать, даже если вы уедете за границу. И даже если вы будете предпринимать усиленные меры безопасности — если им понадобится, они сделают это. Вспомните ледоруб Троцкого.

* * *

Не буду вам ябедничать, как Маша (ставшая неволь-
ной свидетельницей этого разговора и прекрасно по-
нявшая по моей реакции, что дело гораздо серьез-
нее, чем нам хотелось бы думать) пыталась насильно, с боями увезти меня к себе за город и «спрятать».

— Маша, ты наивная! — смеялась я. — Уж твой-то
адрес они первым найдут! Пожалей своих семерых
собак! Я не хочу, чтобы они остались сиротами.

Не стану вам описывать также и какими двумя
идиотками мы, вероятно, выглядели, когда Маша,
изображая из себя заправского бравого телохрани-
теля, а в действительности параноидально огляды-
ваясь по сторонам и шарахаясь от любого шороха
на лестничной клетке, провожала меня до двери
моей квартиры, а потом, стоя снаружи, требовала:

— Немедленно запри дверь изнутри! Пока не ус-
лышу, как ты ее заперла, я никуда не уйду!

Пожалуй, я воздержусь и от описания всех пре-
лестей похода с мусорным мешком к мусоропрово-
ду в сопровождении *bodyguard'a,* которого на следующий день приставил ко мне мой друг. Да что там —
мусор... А представьте, каково вместе с охранником
(короче, с незнакомым, чужим мужчиной) покупать
трусы и колготки...

Борис Немцов (лидер только что проигравшей выборы партии «Союз правых сил») на полном серьезе заявил мне:

— Трегубова, сейчас мы организуем параллельное независимое расследование покушения на тебя. Я подключу службы безопасности своих друзей, и они будут искать заказчиков.

Речь шла о мини-ФСБ, которую сейчас имеет при своей банковской структуре каждый уважающий себя олигарх, и которая состоит в основном из бывших сотрудников ФСБ, перешедших на коммерческую основу. Вскоре Немцов перезвонил и расстроенным тоном признался, что три крупные банковские службы безопасности его друзей-банкиров, к которым он обратился за помощью, отказались вести расследование покушения. Этот ответ вполне можно было считать результатом расследования.

Когда я напрямую спросила одного из действующих олигархов (в смысле, из тех, кого Путин пока еще не выгнал из России и не раскулачил), есть ли, на его взгляд, шанс, что следствие установит заказчиков покушения, он ответил мне с философской искренностью:

— Ну, конечно, есть шансы: где-нибудь, когда-нибудь, в другой стране и в другой жизни...

Честно говоря, если бы вы меня в тот момент спросили, то я и сама не смогла бы выдвинуть четкую версию. Я не знала, кто хотел меня убить. И хотели ли меня убить, или просто запугать, чтобы я надолго исчезла из информационного пространства и не мешала бы победоносным перевыборам Путина на второй президентский срок. Хотели ли меня заставить прекратить давать интервью на неприятные для Кремля темы и вместо этого заняться поиском новой квартиры и обеспечением собственной безопасности и безопасности своей семьи? Или пытались с помощью психологического давления заставить вообще плюнуть на все и уехать из страны?

Могу вам только пересказать разговор с моей близкой подругой Никой Куцылло (той самой героической девушкой, которая в октябре 1993-го провела несколько дней в обстреливаемом Белом доме и потом написала об этом книжку и которая сейчас работает заместителем главного редактора аналитического еженедельника «Власть»). Ника оказалась единственной из всех моих бывших коллег по «Коммерсанту», кто не побоялся навестить меня в моей квартире через несколько дней после взрыва. Она заверила меня:

— Никто ни на секунду не сомневается, что это ФСБ.

— Но зачем же им было делать это ДО выборов? — недоумевала я. — Зачем надо было действовать так явно и так топорно? Я просто не могу в это поверить. Все ведь знают, что я только что опубликовала книжку о Путине.

— Все это интеллигентские глупости, — возразила мне Ника. — У силовиков совершенно другая логика. Чем откровеннее, тем лучше. Взрыв бомбы у твоей двери вполне логично рассматривать как откровенный сигнал всем остальным журналистам: сидите и помалкивайте. А то хуже будет.

Что касается официального следствия, то мне с тех пор так никто ни разу ничего и не говорил о его ходе.

Со следователем уголовного розыска Владимиром Романовым, бравшим у меня показания, я с тех пор встретилась всего один раз, да и то по моей инициативе. Потому что, когда я позвонила ему и попросила сообщить, как продвигается расследование, он сделал вид, что основным препятствием для хода следствия является то, что у них нет официальных распечаток от моей мобильной компании номеров входящих звонков на мой телефон за тот день, когда был странный звонок о посылке из Америки. Чтобы не давать лишнего формального повода заматывать дело, я взяла в мобильной компании необходимые распечатки и отправилась в уголовный розыск. Как вы догадываетесь, ничего нового в распечатках не было — только зафиксированный номер анонима, который я и так уже сообщила следователю и который он уже идентифицировал как номер телефонной будки на улице рядом с Краснопресненской.

Наша встреча со следователем, когда я передавала ему эти бумаги, произошла через девять дней после взрыва, на улице, возле уже хорошо знакомого мне здания уголовного розыска на Петровке, 38, и продолжалась примерно минуту. Была противная мокрая метель, и рядом меня ждал охранник.

Когда следователь (как я уже рассказала чуть выше) признался мне, что врал о «безобидности» взорванной бомбы... ой, простите, не врал, а «успокаивал меня», я упрекнула его:

— Вы бы лучше не «успокаивали» меня, а реально искали, кто это сделал!

На что он не моргнув глазом выпалил:

— А он нам уже известен, кто это сделал!

Уж на что я привыкла за все предыдущие дни ко всем несуразицам вокруг следствия, но такой ход конем опять заставил меня изумиться до крайности:

— Вы знаете?!? Что ж вы молчите?!? Кто?!?

— А мы не можем сказать, — ухмыльнулся сотрудник уголовного розыска. — В интересах следствия.

Как вам нетрудно догадаться, с тех пор от следствия не было ни слуху ни духу.

* * *

А теперь расскажу вам о второй «маленькой ошибочке». То ли следствия, то ли убийцы. Уже на спокойную голову подойдя к своей квартире, я еще раз внимательно осмотрела «место боевых действий». И вдруг — ярко, как вспышка, — сверкнула разгадка той нехитрой логической задачки, которую не могло или не захотело разгадать следствие.

Дом, в котором я снимаю квартиру, — старинный, дореволюционный, знаменитый Дом Нирнзее, названный так по фамилии архитектора. Это первый в Москве доходный дом, пансион, где в начале прошлого века снимали квартиры обеспеченные холостяки. У здания, увы, не только особая, неповторимая старомосковская харизма, но и кошмар-

ная коридорная система, которую я уже частично
описывала вам, когда пыталась объяснить, как я
выбралась из дома после взрыва. Длиннющие коридоры и маленькие частопосаженные квартиры —
наследие большевистской страсти уплотнять жильцов. Коридор на моем этаже представляет собой русскую букву «п», в середине верхней перекладинки
которой, как раз по центру, находится моя квартира. А в середине обеих боковых колонн этой буков-
ки (то есть симметрично за левым и за правым угла-
ми моего коридора) есть выходы на лестницу, откуда можно спуститься и выйти на улицу через первый и второй подъезды. При этом, как вы уже
поняли, оба подъезда — смежные, сквозные, сооб-
щающиеся между собой; в любую квартиру с улицы
при желании можно попасть как через первый, так
и через второй подъезд. Но фокус в том, что так было
не всегда. Раньше, в первоначальном, дореволюци-
онном плане дома подъезды разделялись глухой по-
перечной стеной. И проходила эта стена... Ну? До-
гадайтесь где? Правильно, прямо рядом с моей
квартирой, разделяя коридор на две части. Стена
давно не существует (только на полу рельефный
след до сих пор остался), а нумерация квартир в
подъездах осталась прежней — начинается с разных

концов коридора и заканчивается в том месте, где раньше была стена.

Короче: слева от меня, на противоположной стороне коридора, расположена квартира номер 208. За ней в нормальной последовательности по той же стороне идет квартира номер 209 (там живет бальзаковская дама с котом-кастратом). А дальше, чуть правее, по той же стороне коридора, вы думаете, какая квартира идет? Ну, подумайте! Логически? 208-я, 209-я... а потом? А вот и неправильно, не 210-я! Дальше по той стороне идет квартира номер 219, к ручке которой было привязано взрывное устройство. Запутались? Подозреваю, что и не вы одни.

А 210-я квартира, знаете, у кого? У меня. И находится она вопреки элементарной линейной алгебраической логике НА ПРОТИВОПОЛОЖНОЙ от 208-й и 209-й квартир.

Теперь самое интересное. Ни на моей двери, ни на двери той квартиры, к которой привязали бомбу, НЕ НАПИСАН НОМЕР. Просто когда я сняла в аренду эту квартиру, на ней не было таблички с номером, и я до сих пор так и поленилась ее сделать. То есть, если кто-то проникает в дом не через правый подъезд, а через левый, поднимается на мой этаж, идет вдоль по нумерации квартир, видит слева 208-ю

квартиру, потом 209-ю, и — через два шага смело при-
вязывает взрывное устройство к следующей двери на
той же стороне в полной уверенности, что это — номер 210. Даром что на ней номера ТОЖЕ НЕТ.

То есть если даже некто инструктирующий за-
казного убийцу дает ему следующее точное описа-
ние квартиры: «квартира номер 210, но номер на
ней не написан. Дверь железная. Находится точно
в центре среднего коридора», то прийти по этой ин-
струкции с равной степенью вероятности можно как
в мою квартиру, так и в нежилую квартиру номер
219. А если предположить, что у этого исполнителя
покушения были хотя бы жалкие зачатки здравого
смысла и школьного знания арифметики, то стано-
вится понятно, что у него был стопроцентный шанс
ошибиться дверью. Просто потому, что справа от
моей квартиры, знаете, какая дверь находится? Ни
за что в жизни не угадаете! Готовьтесь. Только не
падайте. Номер 234! Видали где-нибудь такое? Ни
в каком больном воображении — даже убийце — не
может привидеться, что 210-ю квартиру нужно искать после 234-й! (Только не надо приходить проверять и пугать соседей, договорились? С них, бед-
няг, и так уже хватит.)

А нужно ведь еще достать изоленту, быстро при-
крепить бомбу, размотать 20 метров провода, спря-

таться за угол коридора, получить от кого-то сигнал прослушки телефона, что жертва сейчас выходит... И все это — в дневное время, и нужно успеть, пока не вышел никто из соседей. А внизу, на первом этаже, еще и отделение милиции...

В общем, только маньяк-архитектор Нирнзее был бы способен в ситуации такой спешки переубедить убийцу, что лучше ему забыть про логику, перейти на противоположную сторону коридора и срочно перемонтировать бомбу на ручку «двери без номера».

Вот так случайно выяснилось, что век назад ветхорежимный старик-архитектор, дав волю буйному воображению, приложил весь талант, чтобы сбить с толку подрывников и спасти меня от взрыва.

Признаюсь, меня слегка огорчило это открытие. Физически оно ничего не меняло: моя дверь все равно находилась в прямом эпицентре взрыва. И спасла меня все-таки не путаница Нирнзее и не «маленькая ошибочка» убийцы, а моя собственная страсть к опозданиям.

Менялась только мифология: до этого досадного открытия мне подсознательно почему-то было приятно думать, что УБИТЬ меня не хотели — только напугать. И что именно поэтому заботливо привязали бомбу не к моей, а к соседней ручке, по диагонали от меня — чтобы хоть немножко уменьшить вероятность летального исхода.

Но, оказалось, я слишком романтизировала образ своих анонимных поклонников.

* * *

Через неделю после взрыва я опять получила привет от моих неудачливых подрывников. Это снова был телефонный звонок — только уже не мне, а моей соседке.

Охранник провожал меня домой после деловой встречи. Когда мы поднялись на мой этаж и проходили мимо одной из квартир (которая расположена далеко от места взрыва), дверь тихонько открылась и оттуда выглянула перепуганная женщина — она явно смотрела в дверной глазок, ожидая моего возвращения.

— Лена, простите, что я к вам обращаюсь... Вы меня не знаете, но вас тут теперь уже все знают... Понимаете, мне вчера позвонил домой какой-то странный мужчина, представился вашим другом из Америки, который делал ваш интернет-сайт, и потребовал, чтобы я ему дала номер вашего домашнего телефона...

Опять «горячий привет из Америки»... Так, для сведения: у меня НЕТ никакого интернет-сайта. И нет друзей в Америке. Но теперь, видимо, есть. И не один.

Я четко поняла: кто-то показывает мне, что по-прежнему цепко держит руку у меня на пульсе. Меня явно пытались запугать, а моих соседей — заставить нервничать.

— В следующий раз, — посоветовала я сердобольной соседке, — когда вам позвонят — сразу давайте им номер телефона нашего отделения милиции. Пусть они там немного поработают моими секретарями...

Я не была напугана. Но я прекрасно отдавала себе отчет, что в оставшиеся недели до президентских выборов я превращаюсь в идеальную ходячую мишень. И если кто-то захочет устроить любую провокацию, то он точно знает адрес, куда нести очередную «маленькую тикающую посылочку».

И, знаете, гораздо страшнее, чем все взрывы на свете, было через несколько дней после покушения услышать от своей 64-летней мамы, сидящей на сильнейших лекарствах от гипертонии, фразу:

— Лена, если с тобой что-то случится — я этого не переживу. Если они тебя убьют, то мне незачем будет больше жить.

Я обещала ей, что хотя бы на время до президентских выборов уеду из России. В более безопасное место.

12 февраля, ровно через десять дней после взрыва и на следующий день после беседы со следователем, который бодро заявил мне, что «знает, но не скажет» имя заказчика покушения, я взяла билет и улетела из Москвы.

Когда я пересекала границу в аэропорту, тучный российский таможенник посмотрел на меня с подозрением:

— Девушка, вы что, недавно через меня уже проходили, что ли? Что-то мне ваше лицо знакомо? А-а-а... Вспомнил... Взорванная... Ну ладно, проходите...

Честно говоря, садясь в самолет, я больше всего боялась одного: что обратно меня в страну после выборов уже не впустят — под любым предлогом, устроив любую провокацию. Примеров вынужденных эмигрантов и «невъездных» после прихода Путина к власти уже было предостаточно.

Словом, эмоционально это было для меня генеральной репетицией изгнания из собственной страны. Которого, надеюсь, мне никогда не придется пережить.

Ну, а улетела я, мягко говоря, не совсем в спокойное место... Только маме не говорите. А впрочем — теперь она уже все равно прочтет. Я выбрала своим убежищем город, где самый быстрый свежий сок в мире, где самый вкусный бессычужный сыр, где каждый день дают солнце, а каждый вечер оно до неправдоподобности красиво на «бис» исполняет над морем свой старый трюк под аплодисменты публики, специально ждущей на каменном моле. И единственное место во вселенной, где Абрамович имеет шанс встретиться с Шолом-Алейхемом (исключительно в топографическом, разумеется, смысле, — потому что их улицы пересекаются). Короче, город Тель-Авив. Во-первых, я поняла, что страна Израиль, где не переставая что-то взрывают, — это единственное место в мире, где меня, «недовзорванную» в Москве, уж точно не взорвут. Просто потому, что это было бы уже какой-то безвкусной тавтологией судьбы — чего она себе обычно не позволяет. А во-вторых, я почувствовала, что все мои «писательские» злоключения должны закончиться именно в том месте, где и началась абсолютно детективная история с изданием моей книги, которую я вам сейчас расскажу.

Глава 2

КАК ВЗРЫВАЛА Я

ЕВРЕЙСКИЕ ШТУЧКИ

Я давно уже живу с ощущением, что лучший автор экшн-текстов — это судьба. А мне остается только удивляться ее сюжетам и записывать. А потом — перечитывать и не верить, что все это действительно произошло со мной, а не с героиней эксцентричного детектива.

Итак, 21 января 2003 года я закончила свою книгу «Байки кремлевского диггера». Я написала ее ровно за три недели. Встретила с родителями Новый год и начиная с 1 января заперлась у себя в квартире, выключив все телефоны. До пророка Ездры, написавшего 200 книг за 40 дней, мне, конечно, далеко. Однако, ветхая писательская техника под условным названием «Не ищите меня 40 дней в пустыне» оказалась до сих пор эффективной. 382 страницы за 21 день — разделите и поймете, что у меня не было времени даже поесть. Я вставала с рассветом, молилась, выжимала себе пару литров свежего апельсинового сока и — снова ложилась. Потому что пишу я, точно как один мой покойный приятель-француз, только лежа в постели. Чтобы не тратить сил на поддержание осанки и прочие физиологические глупости.

Когда я вышла на свет Божий из своего добровольного заточения, как утверждает моя подруга Маша Слоним, я была похожа на узника Дахау. Но — на уже освобожденного узника. Со ввалившимися щеками и абсолютно счастливыми глазами, светившимися уверенностью в безграничности собственных возможностей.

А вот в возможностях книгоиздателей своей родной страны я была уверена гораздо меньше. Я заранее отдавала себе отчет в том, что написанное мною, скорее всего, не сможет быть опубликовано в России. Мой приятель, российский книжный критик, проведя по моей просьбе конспиративное «маркетинговое исследование» книжного рынка обеих российских столиц — Москвы и Санкт-Петербурга, выяснил, что ни один из издателей не возьмется опубликовать критическую книжку о Путине. И это при том, что он даже не называл моего имени и не показывал им текст (я считала принципиально важным до конца сохранять полную секретность, чтобы никто из издателей не «настучал» в Кремль), а лишь вкратце сообщал тему, но даже и это их пугало.

В запасе оставался еще один хитрый вариант: издать книгу на русском языке — но не в России, а за рубежом. И ввезти ее потом в Москву ящиками. Этот путь был сопряжен с огромными трудностями — потому что в ту секунду, когда Кремль узнал бы о содержании книги, мог быть отдан приказ задержать весь груз на таможне под любым формальным предлогом.

Но — если б вы только знали! — как хотелось увидеть свою книгу, изданной на родном языке! Ради этого я готова была горы свернуть. И даже полететь за три моря. С длительностью авиаперелета четыре часа.

Я позвонила в Тель-Авив олигарху-эмигранту Владимиру Гусинскому, которого Путин, если помните, сразу же после прихода к власти первым посадил в тюрьму, а потом позволил бежать за границу в обмен на отказ от акций экс-оппозиционного телеканала НТВ. Гусинский был создателем первого негосударственного телеканала в России, и я была уверена, что моя книга — о том, как закончилась свобода СМИ в России, — заинтересует его. И хотя Гусинский тоже был изображен в моей книге далеко не ангелом, однако я надеялась, что, с учетом цензуры в России, он согласится издать эту книгу в своем израильском издательстве «Маарив».

— Лена, мне безумно интересна ваша книга! Но в «Маариве» я ее издавать не буду. Потом объясню почему, — загадочно ответил Гусинский по телефону. — Приезжайте.

Я взяла билет в Тель-Авив на 24 января. Просто потому, что 24 — мое любимое число. И родилась я 24 мая. (Кстати, лет пять назад, когда мой школьный приятель затащил меня в казино, я сразу поставила все фишки на цифру «24» и выиграла 300 долларов. Которые, разумеется, все тут же продула, как только начала ставить «рационально». Больше я в казино ни разу в жизни не ходила.)

24 января оказалось пятницей. Кто не знает, сейчас быстро поймет, в чем прикол.

Представьте, я прилетела из холодной заснеженной Москвы в свой любимый солнечный, теплый город. Взяла в аэропорту Бен-Гурион такси, доехала до Биалика, села в своем любимом кафе, где делают свежевыжатые соки, и заказала сок из афарсемона. Простите, из хурмы. Ну просто почувствуйте вкус: из минус 15 вдруг оказаться в температуре плюс 24, и из каторжной работы над книгой — в чуде, где эта гора уже сверзлась в море. В общем, я вдруг очутилась в персональном земном раю. Я разнежилась на солнышке, как ящерица, и забыла обо всем на свете.

Минут через десять за мной зашел друг, взял мой чемодан, и я ушла, счастливо улыбаясь на прощанье владельцу кафе — профессиональному приврату нику моего персонального парадиза.

Надо сказать, что кафе это на Биалике (или на «улице им. Бялика» — по просьбе моих московских друзей) принадлежало двум симпатичным, душевным братьям (не русским евреям, а коренным израильтянам), не близнецам, но очень похожим друг на друга молодым парням со смуглыми гладкими головами: один — совсем лысый, а другой — совсем бритый. Причем я все время путала, кто из них какой. До этого моего приезда братья уже поили меня там соком раз сто, когда я каждые два-три месяца прилетала греться в Тель-Авив как домой. И каждый раз, когда я к ним заходила, мы перебрасывались парой слов — в общем, они давно уже относились ко мне как к постоянному клиенту, выпивавшему, как минимум, литр сока из хурмы и еще литра два уносившему с собой. Ну, иногда еще и пару гулливерских доз бананово-клубничного фреша в придачу.

Едва добравшись до постели, я упала без сил и уснула. Но через час меня разбудила труба Иерихона. Которая оповестила о начале шабата. А заодно — и о конце света для меня. Потому что я вдруг обнаружила, что у меня больше нет моего лэптопа.

Очевидно, он исчез в кафе, решила я. И побежала на Биалик в надежде, что, может быть, успею застать хозяина кафе.

Но в шабат, начиная со второй половины дня пятницы, в Тель-Авиве закрыты абсолютно все магазины и кафе.

Двери моего персонального «рая» были тоже уже заперты. Взглянув сквозь стеклянные двери на кафе, я моментально вспомнила, что последний раз видела лэптоп, когда повесила там свою компьютерную сумку на спинку стула. Теперь на стуле ничего не висело.

Это была катастрофа. Лэптопа — новенького крошечного FUJITSU с красноречивым названием *LifeBook,* который за предыдущие три недели стал для меня самым близким другом, — было, конечно, жалко. Но самым страшным было не это. Окончательный вариант книги существовал ТОЛЬКО в лэптопе. А диски с копиями текста, которые я намеревалась передать издателю, я положила — угадайте куда? — правильно! — в кармашки той же самой сумки с лэптопом. Идиотка. (Вот сейчас я написала это слово, а мой любимый лэптоп выдал мне ремарку: «Слово принадлежит к экспрессивной ненормативной лексике. Если не означает медицинского термина».)

И — убейте меня, если бы я смогла написать всю книгу еще раз заново!

Я была на сто процентов уверена, что если лэптоп нашли брито-лысоголовые братья, то они, конечно же, мне его вернут. Но вот если его унес кто-то из посетителей, ситуация становилась безнадежной. Можно, конечно, было обратиться в бюро находок и в полицию — но кто же, найдя случайно под ногами пару тысяч баксов, добровольно от них откажется? Если он УЖЕ не вернул сумку хозяину кафе, значит, он ее УКРАЛ.

Самым кошмарным вариантом, который пришел мне в голову, было то, что вор, унесший лэптоп со спинки моего стула из кафе, вполне мог оказаться русским. Которых в Израиле за каждым кустом.

Файлы с текстом у меня там не закодированы. И значит, вор уже сейчас открыл лэптоп и читает заголовки: «Как меня вербовал Путин»... «Как Путин кормил меня суши»... — и рука его уже тянется набрать номер (в зависимости от уровня интеллекта и предприимчивости) или в русское посольство, или в любое мировое информационное агентство.

Единственное, что меня могло спасти в такой ситуации, — это уважительное отношение израильтян к бомбам. То есть если ты даже и вор, то бороться с терактами все равно обязан. В местном фольклоре популярна история о том, как бездомный клошар-пьяница, украв на пляже в Тель-Авиве сумку, добежал с ней до ближайшего подъезда, открыл и увидел, что там бомба. Что в такой ситуации сделал бы вор-пьяница в России? Бросил бы сумку поскорее и убежал. А в Израиле он пошел в полицию и заявил: «Я только что украл сумку. А в ней оказалась бомба». Ну, вор, разумеется, стал после этого чуть ли не национальным героем, ему дали деньги на лечение от алкоголизма и устроили работу.

— Как ты думаешь, моя сумка с лэптопом похожа на взрывные устройства, которые у вас тут находят в кафе? — с надеждой спросила я своего израильского приятеля, совсем не русского, а наоборот, иракского происхождения.

— Не хочу тебя расстраивать, но твоя сумка для лэптопа похожа только на один предмет в мире: на сумку для лэптопа, — бессердечно поставил мне диагноз еврейский педант. — Но это даже лучше. Иначе бы ее сразу взорвали — чтобы обезвредить.

Мучительное ожидание тянулось больше суток. Пока не закончился шабат. В первый день недели, воскресенье, я, убежденная сова, как жаворонок вскочила без будильника в семь утра и бросилась ко входу в кафе, готовая дежурить там хоть два часа, лишь бы первой застать хозяев.

Когда появился один из братьев, я, хоть и путала их лысые головы, но методом исключения сразу поняла, что это — другой, не тот, что работал в пятницу.

Я бросилась к нему:

— Скажите, ваш брат передавал вам сумку с компьютером? Я прилетела только в пятницу, зашла к вам с чемоданом и оставила лэптоп вот здесь...

По отсутствующему выражению на лице брата мне сразу стало понятно, что продолжать объяснения бесполезно: никакого компьютера у него не было.

— Пожалуйста, позвоните своему брату! — взмолилась я.

Он — с неохотой, пояснив, что брат у себя дома, что он еще спит, — но все-таки вежливо улыбаясь мне, набрал номер брата.

Что было произнесено в трубку на иврите, мне осталось неведомо, но после секундной паузы он переспросил:

— Lo? («нет?»)

И я поняла, что приговор подписан.

Брат отстранил телефон от уха и с искренней грустью в глазах сказал мне:

— Я очень сожалею. Он говорит, что ничего не находил.

Я ни секунды не сомневалась, что они говорят правду, но все-еще пыталась зацепиться за последнюю соломинку:

— Пожалуйста, дайте мне трубку, я сама с ним поговорю...

Я надеялась, что, может быть, брат номер два, находившийся в роковой день у стойки, видел, как кто-то взял маленькую черную сумку, которая висела на спинке высокого барного стула, рядом с которым я сидела, ну он же видел меня с чемоданом, ну он же здесь всех, наверное, знает, ну нельзя ли кому-то позвонить спросить...

4*

И когда я все это ему выпалила в трубку, брат на том конце провода совершил глупую ошибку. Человек, с которым мы до этого на протяжении года регулярно, а иногда даже и по нескольку раз в день виделись и перекидывались парой слов (на английском, потому что иврита я почти не знаю), вдруг заявил мне по телефону, что не говорит по-английски и вообще не понимает, чего я от него хочу.

Тогда я остановила свой словарный поток и внятно произнесла одно слово:

— Компьютер.

На что он переспросил в ответ:

— Что это такое? Не понимаю!

Это уже был перебор. Настолько необразованных евреев в Израиле нет. Именно в эту секунду я про себя произнесла бессмертную реплику гениального Станиславского.

Повесив трубу, я обратилась к брату номер один, который хотя бы не делал вид, что срочно разучился говорить по-английски.

— Поймите, в компьютере очень важная информация. Я журналист. Я готова заплатить вам за компьютер деньги. Я даже готова подарить его вам, я только возьму текстовые файлы! Объясните это своему брату!

Но брат номер один начал растерянно разводить руками и предложил мне осмотреть подсобную комнату кафе, где, разумеется, ничего, кроме холодильника с хурмой, финиками, дыней, личи, папайей, клубникой и бананами, не оказалось.

Если бы не странный внезапный лингвистический склероз брата номер два, я бы так ничего и не заподозрила. «Ах так, значит? — сопоставляла я факты по дороге домой. — То есть чаевые с меня брать за пять стаканов сока — это он английский знает! А как компьютер вернуть — это он не понимает?»

В Тель-Авиве (в отличие от Москвы) у меня не было ни одного друга ни во властных структурах, ни среди банкиров, имеющих собственную службу безопасности, которые могли бы посоветовать, как действовать в такой ситуации.

Оставался единственный вариант: позвонить и сознаться во всем Гусинскому, которому я, собственно, и везла текст, украденный у меня вместе с компьютером. Я сгорала от стыда. С Гусинским мы к тому времени не были знакомы лично, и я живо себе представляла, какой портрет у медиа-магната должен сложиться от первого знакомства: идиотка, которая способна потерять компьютер с только что написанной сенсационной политической книгой.

Но другого выхода не оставалось. Я в отчаянии набрала его номер и честно рассказала, что произошло.

— Нет вопросов, Леночка. Не волнуйтесь. Сейчас мы решим все ваши проблемы. Будет вам лэптоп, — ответил Гусинский абсолютно спокойным, невозмутимым тоном.

В первую секунду, признаться, услышав такое, я с некоторым раздражением подумала: ну, понятно, у богатых — свои причуды. Проблемы у тебя с лэптопом, девочка? Не плачь! Вот тебе новый лэптоп.

— Да нет, вы не поняли! Мне не нужен НОВЫЙ лэптоп! Мне нужна моя книга! Она существует только в моем лэптопе! — еще раз объяснила я.

— Да понял я, понял! Не волнуйтесь вы так! Тель-Авив — маленький город, здесь все друг друга знают...

У меня затеплилась надежда.

— Вы думаете, что по своим каналам сможете найти лэптоп?

— Да нет, ну зачем? Сейчас к вам туда подъедут люди и все этим «братьям» объяснят...

— Вы что, свою братву, что ли, сюда пришлете? — слегка испугалась я.

— Ну что вы! Просто подъедут люди, хорошо говорящие на иврите... — успокоил меня олигарх.

— То есть переводчики? — не унималась я.

Гусинской захохотал:

— «Переводчики»... Ну, можете считать, что переводчики. В общем, ждите.

После такого разговора я уже морально готовилась к тому, что сейчас мне пришлют командос с неприличными бицепсами и автоматами «Узи» под мышкой.

Но вскоре появился симпатичный черноволосый молодой человек невысокого роста, довольно худенький и изящный, в выразительных темных очках. Зато приехал он на огромном, шикарном, безразмерном лимузине, модель которого даже я определить была не в силах. В общем, идеальный персонаж высокобюджетного голливудского фильма про продвинутых бандитов.

— Здравствуйте, меня зовут Даня, — скромно, на чистом русском языке представился юноша. — Объясните мне, пожалуйста, где находится это кафе.

Мы стояли на углу улицы Хамаагаль и площади Рамат-Ган, откуда до злосчастного кафе на углу Биалика было ровно 50 шагов.

— Пойдемте, я вам покажу! — предложила я.

— Ну нет, зачем же? Вам туда ходить незачем, — спокойно сказал Даня. — Идите домой и не волнуйтесь. Я вам позвоню.

С этими словами молодой человек, вместо того чтобы пройти 50 метров пешком, сел в машину. И затем я с эстетическим наслаждением проследила, как шикарный лимузин начал с трудом, как огромный крокодил в узком ручейке, разворачиваться на узенькой улочке Хамаагаль, чтобы, сделав приличный крюк, гордо подъехать к кафе по Биалику с другой стороны. Что должно было произвести на братьев сногсшибательное впечатление — жаль я не видела.

Я поднималась по лестнице в квартиру, прокручивая в голове, что есть только два варианта исхода беседы «брата от Гусинского» Дани с лысыми братьями из кафе: «быстрый» и «долгий». Быстрый не сулил мне ничего хорошего. Потому что это означало бы, что Даня, применив все методы внушения на иврите, убедился бы, что братья невиновны и что лэптопа у них нет. Хороший вариант — как я рассуждала, — мог быть только долгим: если Дане удастся припугнуть братьев и добиться у них признания в краже лэптопа, то значит, ему придется либо ждать, пока брат номер два его привезет, либо самому ехать за компьютером к ним домой.

Звонок Дани раздался ровно через четыре с половиной минуты. Я успела только добежать до своего этажа и войти в квартиру.

— Алло, Лена? Вы можете спускаться. Я у вашего подъезда.

У меня упало сердце. Молниеносный звонок Дани мог означать только одно: лэптопа у братьев действительно нет. Четырех минут тридцати секунд, по моим прикидкам, могло хватить только на то, чтобы, с трудом протискивая кузов голливудской машины в соседний переулок, выехать на Биалик, подъехать к кафе, произведя все желаемые костюмированные кинематографические спецэффекты, заглянуть пронзительным, прожигающим насквозь и беспощадным взглядом в глаза брата номер один и понять, что они чисты, как у ребенка. И моментально уехать. Даже не выпив сока.

За те секунды, что я бежала вниз по лестнице, передо мной зримо пронеслись все адские видения предстоящих нескольких недель: срочный вылет обратно в Москву, снова разыскивать все архивы, и — но нет! — каждому журналисту или писателю прекрасно известно, что ВТОРОЙ РАЗ НИЧЕГО НАПИСАТЬ НЕВОЗМОЖНО! Можно написать уже только другую, вторую, книгу. А этого я уже ни физически, ни эмоционально не выдержу...

Даня стоял прямо напротив подъезда, вальяжно опершись спиной на прикрытую переднюю дверцу лимузина.

— Вы **это** искали? — с абсолютно голливудской невозмутимостью в голосе спросил он и изящным жестом руки, как карточный шулер, в мановение ока извлек из-за спины через раскрытое окошко лимузина мой лэптоп.

И я, еще не веря в свое счастье, как безумная бросилась к нему с поцелуями...

— Не может быть!!! Так быстро!!! Где же он был??? Вы что, так быстро съездили домой к брату?

— Нет, зачем к брату? Лэптоп у них в шкафу под прилавком спрятан был, — все так же невозмутимо отрапортовал голливудский герой.

Для меня так навсегда и осталось тайной, какими конкретно методами убеждения ему удалось вытрясти из лысых братьев мой компьютер. Единственное, что я знаю, — это то, что на прощание Даня посоветовал мне:

— Ну, в это кафе, я думаю, вам больше ходить не стоит, Лена.

Я так и сделала. Случилось так, что в тот день, едва обретя свой лэптоп, я, словно под действием какой-то тайной, вдруг с силой распрямившейся каббалистической пружины, собрала вещи, переехала в отель к морю и с того дня больше вообще никогда, ни в один из своих последующих приездов в Тель-Авив не захотела видеть ни то кафе, ни Биалик, ни вообще Рамат-Ган. Но искренне надеюсь, что если бы я ослушалась совета Дани и сходила бы туда на экскурсию, то не превратилась бы в соляной столб, увидев на месте своего бывшего любимого кафе реки крови вместо свежевыжатого сока.

* * *

Кстати, книжку мою Гусинский так и не издал.

Как он честно признался мне, когда на следующий день после всей этой детективной развязки я сидела и завтракала в его квартире, в высотном доме на набережной, с одним из самых прекрасных видов на Средиземное море:

— Я не хочу, чтобы потом Путину донесли, что Гусинский издал книгу Трегубовой против Путина.

— А какое вам теперь дело до Путина? — удивилась я. — Он же ведь у вас и так уже отнял весь ваш российский медиа-бизнес и выгнал из страны.

— Видите ли, я отвечаю за жизни людей, которые страдают в России только из-за того, что являются моими друзьями, — ответил олигарх-эмигрант.

Я догадалась, что речь идет прежде всего о друге Гусинского и его партнере по бизнесу Константине Титове, который был посажен в тюрьму в Москве вскоре после прихода Путина к власти. Титова абсолютно все российские политики и бизнесмены в неофициальных беседах называли «заложником», захваченным Путиным, чтобы шантажировать Гусинского, заставить его отдать бизнес и манипулировать политической тональностью осколков его медиа-империи.

Я была в курсе, что за несколько недель до этого Титов был освобожден из тюрьмы. Подробностей никто толком не знал, но по Москве среди бизнесменов бродили настойчивые слухи, что речь идет о сделке и что люди Гусинского ради освобождения Титова, якобы, «заносили» по всей «вертикали».

Чтобы не заставлять Гусинского кривить душой, я не стала задавать ему бестактных вопросов о деталях сделки.

И лишь сказала экс-олигарху, что если речь идет о спасении человеческой жизни, то я понимаю и уважаю его выбор.

Свои отношения с российским президентом Путиным после всей этой истории Гусинский охарактеризовал так:

— Я обещал не мешать. И не выступать ни с каки-ми оппозиционными политическими проектами.

Подозреваю, что спустя всего несколько месяцев Гусинский слегка пожалел об этом обещании: ког-да в соответствии с запросом российской прокура-туры его арестовали в Афинах и чуть не экстрадиро-вали в Россию.

* * *

Кто знает — украли бы у меня лэптоп или нет, если бы я не полетела в тот день, 24 января 2003 года, в Тель-Авив к Гусинскому? Или если полетела бы, но не к Гусинскому? А просто погреться и выпить свежевы-жатого сока? Это уже вопросы для каббалистов.

Так или иначе, но сейчас я сижу (или, если быть честнее — лежу) с моим лэптопом, спасенным имен-но благодаря Гусинскому и его рыцарю Дане.

Знаете, когда пишешь книгу в лэптопе под на-званием *LifeBook,* то порой возникает странное, по-чти мистическое ощущение. Потому что вот я печа-таю на клавиатуре фамилию «Путин» или «Гусин-ский», а компьютер мне вдруг заявляет, что это имя ему «неизвестно». В том смысле, что в словаре ком-пьютера его нет. И спрашивает: «Добавить?» Признаюсь, этот вопрос лэптопа всегда ставит меня в тупик. Вот и думай после этого: кого из них вписать в «Книгу жизни», а кого не вписать?

После той израильской истории (которая стала первым — и символично счастливым — приключением на пути к изданию моей книги) я вообще каждый раз открываю свой лэптоп с легким мистическим благоговением. Теперь-то я точно знаю, что этот маленький механизм (пусть даже и не похожий, по мнению израильтян, на взрывное устройство) на самом деле — какой-то детонатор, живая игра Джуманджи, ящик Пандоры. Из-за которого, как только я его открыла, со мной стали случаться самые невероятные вещи, из-за которого рвали на себе волосы столько серьезных мужчин в Кремле, из-за которого меня чуть не взорвали, из-за которого моя повседневная жизнь в родной Москве стала сколь невыносимой, столь и счастливой, и — кто знает — что от него еще ждать дальше.

ЦАРЬ-ОСВОБОДИТЕЛЬ

Вернувшись в Москву, я решила все-таки пожертвовать конспирацией и показать рукопись книги кому-то из русских издателей. Например, я знала, что самым крутым и богатым издательством на российском рынке считается «Вагриус». Именно ему Кремль доверил издание предвыборной книги Владимира Путина, когда Борис Ельцин сложил с себя полномочия президента и возложил их на преемника. Однако возглавлял издательство «Вагриус» человек, являвшийся одновременно еще лучшим другом и официальным заместителем российского министра печати и информации . Поэтому сомнений на тот счет, где окажется моя рукопись максимум через 15 минут после того, как я ее покажу этому издателю, не было: на столе у Путина.

Вторым по респектабельности в московской тусовке считалось издательство «Захаров», названное так по фамилии его владельца Игоря Захарова. Среди московской интеллигенции Захаров имел репутацию либерала: незадолго до этого он издал книгу юмориста Шендеровича о том, как Путин закрыл оппозиционный телеканал НТВ, а также книгу Анны Политковской о Чечне.

«Если уж тебя Захаров побоится издать, значит, никто больше в России не издаст», — сказали мне друзья. К нему я и решила обратиться.

Меня ждал сюрприз. Как только я позвонила Захарову (с которым я не была до этого знакома лично) и назвала свою фамилию, издатель воскликнул:

— Ну где ж вы так долго пропадаете? Мне уже все уши о вас прожужжали — а вы все не звоните и не звоните!

— Это кто же вам обо мне говорил? Гусинский? — изумилась я.

— Ну, неважно кто. Но мне уже сказали, что ваша книга очень интересная и АБСОЛЮТНО НЕПЕЧАТНАЯ. Приносите скорей рукопись — мне уже не терпится почитать, что же там такого написано!

— Игорь, я принесу вам рукопись, только огромная просьба: ни единому человеку больше не говорите ни о ее содержании, ни вообще о факте ее существования. У меня есть маленький, странный писательский каприз: я хотела бы дожить до ее издания.

Офис издательства «Захаров» был в двух шагах от меня — в старом особняке у Никитских ворот. А издатель Захаров внешне оказался больше всего похож на старорежимного смотрителя гимназий конца XIX века: высокий, сухопарый, с длинным тонким носом и колючим взглядом из-под очков, тоже слегка напоминающих старинное пенсне. Он чинно, но кратко раскланялся и пообещал прочитать рукопись в «сжатые сроки».

Как только я вышла из издательства, немедленно пробудилось мое патологическое, не зависящее от меня, как икота, умение: по ходу сюжета беспрерывно обрастать мелкими бытовыми символическими происшествиями. У меня с хрустом, без всяких видимых причин, отломился каблук сапога. Причем случилось это не где-нибудь, а в начале той самой улицы Спиридоновка, на которой расположен японский ресторан «Изуми», где мы с Путиным дегустировали суши, и к нему я — точно так же, как и сейчас, — прискакала на одном каблуке, сломав по дороге второй. Только сейчас сапог был летний, а тогда — зимний. Таким образом, сама того не желая, я умудрилась, едва выйдя от издателя, заново разыграть одну из центральных сценок в книге, рукопись которой я только что ему отдала. Я расхохоталась, знакомым движением, прямо как лирическая героиня «Баек», сунула каблук в карман и поскакала домой, как неподкованная лошадь, раздумывая, как бы поточнее сформулировать смысл внесезонной приметы: «Сломался каблук на Спиридоновке — жди проблем с Путиным?»

Когда я перезвонила Захарову через неделю, он признался:

— Честно говоря, я прочитал вашу книгу сразу же, за одну ночь. Оторваться было невозможно!

У меня все внутри прямо растаяло, и я приготовилась услышать самую *логичную* — после такого блестящего комплимента от издателя — фразу: «Будем издавать!»

Но услышала я совершенно другое:

— Но вы же прекрасно понимаете, Лена, это НЕЛЬЗЯ издавать! Лена, вы же не ребенок! Вы же лучше меня в этом разбираетесь и знаете: это НЕ МОЖЕТ БЫТЬ издано в России. Я хотел бы серьезно поговорить с вами об этом не по телефону...

Когда я вновь пришла к Захарову, первым делом он указал мне на бронзовую статуэтку царя на столе в своем кабинете:

— Это — Александр Второй. Знаете, как он говорил своим книгоиздателям? «В книгах, которые вы издаете, обо мне не должно быть написано никак. Ни плохо, ни хорошо». Вот и я решил не публиковать о Путине никак: ни хорошо ни плохо.

— Вы считаете, в России не найдется ни одного издателя, который не побоялся бы опубликовать мою книгу? — упавшим голосом спросила я.

— Дело не в том, что я «боюсь» ее публиковать. Просто зачем мне брать на себя ВАШИ риски? — откровенно спросил меня издатель. — Ради чего? Вы же видите, что происходит в стране: вон, человека, — говорят, честного — убили НИ ЗА ЧТО! (Буквально накануне нашей второй встречи в Москве у подъезда своего дома был застрелен лидер оппозиционной партии «Либеральная Россия» Сергей Юшенков. — Е. Т.) А вы мне предлагаете ТАКОЕ опубликовать!

Тут Захаров резким, отработанным жестом смотрителя гимназии указательным пальцем надвинул очки на нос и серьезно и пристально посмотрел мне в глаза:

— На самом деле я пригласил вас, Лена, потому, что хочу понять: ВАМ-то это все зачем? Ради чего? Вы сами-то хотя бы понимаете, ради чего вы рискуете? Неужели вам эта книжка так дорога?

— Знаете, Игорь, именно потому, что в моей стране все так боятся издавать эту книгу, я еще больше убеждаюсь, что ее необходимо издать, — слегка пафосно, но абсолютно искренне объяснила я. — Я просто кожей чувствую, что, если вокруг висит вот такое гробовое молчание — значит, я просто обязана максимально громко взять ту самую запрет-

ную ноту, чтобы взорвать эту противоестественную
тишину. Если в моей стране людям опять стало
страшно произносить имя вождя всуе — значит, это
имя надо немедленно произнести. Причем произнести так, чтобы, пока еще не поздно, люди поняли, что он обычный человек. А не бронзовый памятник.

— Знаете, что я вам скажу, Лена... — подхватил
Захаров. — Вот именно это и будет для Путина самым обидным в вашей книжке. Вы ведь там даже не
обругали его! Я когда читал рукопись, очень хорошо это почувствовал. Самое обидное в вашей книге
для Путина — это то, что он не стал героем вашего
романа. Не в том смысле, что вы не стали его лю-
бовницей. А в том смысле, что в вашей книге, в ва-
шем романе, есть гораздо более интересные, содер-
жательные персонажи и гораздо более сильные
личности, чем он.

— Ну, это же не моя вина, согласитесь, — париро-
вала я.

— Вот именно это и будет для президента смертельно обидно. Он вам этого никогда не простит, —
заключил издатель. — А то, что я назвал вашу книгу
романом, — это я не оговорился. У вас действительно получился настоящий роман, в том смысле, что

у вас там есть настоящий лирический герой в развитии: это вы. И вы молодец, что не побоялись местами честно изобразить себя молоденькой дурочкой, которая ничего не понимает. Потому что интересно как раз следить за тем, как на протяжении романа меняетесь вы, а соответственно, меняется и ваше отношение к героям, которые тоже даны в развитии. В общем, мои поздравления: книга написана очень завлекательно.

Можете себе представить, как лестно мне было услышать такие оценки из уст одного из ведущих издателей страны. Который только что, правда, отказался публиковать мою книгу из-за «рисков».

И тут Захаров с хитрой усмешкой признался:

— Знаете, что было для меня самой захватывающей интригой в вашей книге? Самой интересной интригой, когда я ее читал, для меня было то, кто же из героев книги вам ее заказал. Этот вопрос мучил меня на протяжении всей книги: сначала я, разумеется, думал, книгу заказал Березовский — просто потому, что вы работаете в газете «Коммерсант», которая ему принадлежит. Потом смотрю: нет, Березовского вы злым гением российской политики называете. Затем я решил: ага, вот она о Чубайсе тепло пишет, значит, он — заказчик книги. А потом — читаю: опа, Чубайс-то у нее тоже в конце слабеньким оказывается... В конце концов, мне пришлось волей-неволей смириться с мыслью, что вам ее никто не заказывал, что вы сами так думаете и мочите кого как хотите...

Такова была первая рецензия на мою книгу, которую я услышала из уст профессионала. Но не знаю, будь у меня выбор, чтобы я в тот момент предпочла: чтобы Захаров вот так вот засыпал меня комплиментами, отказавшись публиковать книгу, или чтобы он лучше, наоборот, обругал мою книгу, но издал ее (как в результате сделал другой издатель, о котором я расскажу буквально через несколько абзацев).

По-настоящему расстроил меня Захаров только утверждением, что если даже я и найду в России издателя, который не побоится рискнуть своим положением ради моей книги, то ни одна из систем книжных распространителей-оптовиков все равно не возьмет ее на реализацию, потому что все российские книготорговые фирмы «в той или иной степени, в той или иной форме, опосредованно или напрямую зависят от Кремля»:

— Поймите, даже лотошникам все равно, с какой книги получать прибыль, скажем, доллар с экземпляра: с какого-нибудь безобидного детектива или с вашей книги. Так что лучше они возьмут продавать детектив, а не вашу книгу. Потому что прибыль одна и та же, а риски — несопоставимые!

На прощание мой несостоявшийся издатель по-отечески предложил:

— Я бы вам, Лена, вот что посоветовал сделать: если уж вы так хотите напечатать эту книгу, то найдите где-нибудь деньги, принесите издателю и напечатайте ее на свои средства маленьким тиражом, скажем, 500 экземпляров — и просто раздайте своим друзьям. Мой вам искренний совет: ограничьтесь этим...

Всего спустя полгода выяснилось, что издатель слегка — примерно в тысячу раз — ошибся при прогнозах потенциальных тиражей моей книги. Зато вот насчет рисков оказался абсолютно точен.

А теперь — как говаривал один мой любимый мертвый мужчина — внимание: здесь будет показан фокус. Уже вычитывая правку этой книжки, я поняла, что не могу удержаться от соблазна показать своему неудавшемуся издателю один спиритический памятник — точно так же как он показал мне Александра Второго.

Итак, следите внимательно за руками:

«Первые его портреты, в газетах, в витринах лавок, на плакатах, выходили как бы расплывчатыми: что-то еще человеческое, а именно возможность неудачи, срыва, болезни, мало ли чего, в то время слабо дрожало сквозь иные его снимки, в разнообразности не устоявшихся еще поз, в зыбкости глаз, еще не нашедших исторического выражения, но исподволь его облик уплотнился, его скулы и щеки на официальных фотоэтюдах покрылись божественным лоском, оливковым маслом народной любви, лаком законченного произведения, — и уже нельзя было представить себе, что этот нос можно высморкать, что под эту губу можно залезть пальцем. За пробным разнообразием последовало канонизированное единство, утвердился теперь знакомый всем, каменно-тусклый взгляд его неумных и незлых, но чем-то нестерпимо жутких глаз.

По мере роста его власти гражданские обязательства, наставления, приказы и все другие виды давления, производимые на нас, становятся все более и более похожими на него самого, являя несомненное родство с определенными чертами его характера, с подробностями его прошлого, так что по ним, по этим наставлениям и приказам, можно было бы восстановить его личность, как спрута по щупальцам. Другими словами, все кругом принимает его облик, закон начинает до смешного смахивать на его походку и жесты; в школах введено преподавание цыганской борьбы, которой он в редкие минуты холодной резвости занимался двадцать пять лет тому назад; в газетных статьях и в книгах подобострастных беллетристов появилась та отрывистость речи, та мнимая лапидарность (бессмысленная по существу, ибо каждая короткая и будто бы чеканная фраза повторяет на разные лады один и тот же казенный трюизм), та сила слов при слабости мысли и все те прочие ужимки стиля, которые ему свойственны. Он проникает всюду, заражая собой образ мышления и быт каждого человека, так что его бездарность, его скука, его серые навыки становятся самой жизнью моей страны. И наконец, закон, им поставленный, — неумолимая власть большинства, ежесекундные жертвы идолу большинства, — утратил всякий социологический смысл, ибо большинство — это он».

Вы, надеюсь, поняли, что это не о Путине, да? Не бойтесь, я совершенно не собираюсь делать с тиранами то, что мечтал автор. Да и он-то, в реальности, истреблял только бабочек.

У НЕГО В КАРМАНЕ САРТР

Издателя я нашла в совершенно неожиданном для себя политическом лагере. Можно сказать, в перпендикулярно противоположном окопе.

После неудачи с умеренным либералом Захаровым друзья, разбирающиеся в книгоиздательском рынке, посоветовали:

— Ну, попробуй еще самый крайний вариант: издательство *Ad Marginet*. Но сразу имей в виду, там у тебя возникнут серьезные проблемы с директором издательства Сашей Ивановым.

— Что, тоже Кремля боится? — спросила я.

— Да нет, если книжка ему понравится, то он точно Кремля не испугается... Но он... Как бы тебе лучше сказать, чтоб не обидеть... Вы с ним можете друг друга слегка не понять... Ты только не пугайся... Понимаешь, он очень левый. И даже не просто левый... Он — революционер. Ну, только в душе, разумеется...

Словом, неся рукопись в издательство *Ad Marginет,* я уже морально приготовилась к тому, что, прочитав мою книгу, его директор за версту почует во мне классового врага.

Так и вышло...

Должна признаться, что при мысли о возможности быть опубликованной в *Ad Marginem* у меня сразу радостно зазвенели внутри какие-то детские сентиментальные струнки. Потому что прежде у этого издательства был самый что ни на есть рафинированный рацион: эссе философа Мамардашвили о моем любимом печальном содомите Марселе, монография энциклопедически образованного искусствоведа Михаила Ямпольского, ранние тексты которого до крайности возбуждали тем, что понять все ссылки и параллели одного отдельно взятого абзаца можно было, только раз двадцать слазив в справочники. И прочая социально бесполезная и оттого приятная литература.

Стыдно признаться, но я никогда не читаю книг, выставленных на прилавках с табличкой: «Бестселлер». (Смешно звучит, да? После того как я сама сделала самый громкий бестселлер года.) Не читаю не из-за рассудочного чистоплюйства, а из-за медицинских противопоказаний: физически тошнит.

Видимо, именно из-за этого лично для меня *Ad Marginem* так и оставалось издательством «интеллектуалов», а не «маргиналов» или «леваков», или «экстремистов». Я попросту не читала тех книг, из-за которых в последние годы у этого издательства резко сменилось амплуа, а следовательно, и репутация. Последняя книга *Ad Marginem,* которую я прочла к описываемому моменту, была переписка Ясперса с Хайдеггером.

Нет, ну, я, конечно, знала о «Голубом сале» Сорокина, с которого, собственно, и началась скандальная слава издательства. И разумеется, как политический журналист, была в курсе того, как Кремль спустил на *Ad Marginem* путинский «комсомол» — «Идущих..» (куда именно, уже не помню). Сорокина не читала и, скорее всего, уже не буду. Но вам несложно догадаться, на чьей стороне я была во время его конфликта с людьми, которые пытались ввести цензуру еще и на книжном рынке.

И тем не менее, практически все мои коллеги-журналисты, узнав, что я собираюсь опубликовать книгу в *Ad Marginem,* кривились:

— И тебе не западло? Вместе с Прохановым?

Содержание второго скандального бестселлера *Ad Marginem* — книжки Проханова — я вообще знала только в пересказах Маши Слоним, которая гораздо более любознательна, чем я, и заглатывает абсолютно все книжные новинки, как пылесос. Итак, я была в курсе, что автор там окончательно вышел в астрал и что некий реальный политик превращается у него в гриб в банке на окне, но что финал романа, в общем-то, счастливый, потому что Путин, в конце концов, ненавязчиво испаряется в радугу.

В принципе мне было близко желание директора *Ad Marginem* с помощью эпатажа взорвать загустевающий вокруг с чудовищной быстротой, словно цемент, путинский официоз. Но оказаться в одной компании с коммунистом Прохановым... Но в конце концов — не замуж же я за него выхожу! Просто в одном издательстве публикуюсь.

Взвесив все «за» и «против», я решила: если «революционер» Иванов — единственный мужественным издатель в стране, у которого кишка окажется не тонка опубликовать мою книжку, — O'k! Значит, пусть лавры издателя, сделавшего этот бестселлер, достанутся ему. А осторожные либералы пусть потом кусают себе локти, что упустили бестселлер.

Итак, я согласилась иметь дело с *Ad Marginem*. Оставалось дело за малым. Знаете, как в анекдоте: кривую Маланью уже уломали, осталось уговорить графа Потоцкого.

Хозяин *Ad Marginem* Саша Иванов оказался похож совсем не на революционера, а на повзрослевшего хиппи: с митьковской щетиной, в простеньком свитере, подчеркнуто не акцентирующий свой гардероб. И в очках, которые в отличие от предыдущего издателя, с которым я имела удовольствие познакомиться, однозначно являлись отнюдь не стильным предметом туалета, а лишь прямым следствием неприличного количества прочитанных книг.

Саша набросился на рукопись, как голодный, которому, наконец-то, дали поесть. Однако через неделю, когда вышел срок, который издатель попросил у меня на чтение рукописи, обещанного звонка не последовало. Зато я получила через третьи руки устную рецензию, которую Иванов дал моей книжке на одном из московских книжных *party:* «Там от каждой строчки воняет дорогими духами. Сразу видно, что эта Трегубова — подружка jet-seter'ов... Это не наш автор, не русский, не народный...»

Через несколько дней Саша все-таки перезвонил и сказал, что хотел бы встретиться и «обсудить вопросы, которые у него возникли к образу автора и лирического героя». Я приготовилась к бою.

Поединок идеологий состоялся в идеально соответствующем Иванову антураже: полуподвальном офисе *Ad Marginem* на Новокузнецкой: небогатом, прокуренном и заваленном книжками.

— Вы вот даже руку для рукопожатия подаете ладонью вниз, Лена! Как для поцелуя... — уже на пороге с классовым сарказмом в голосе попрекнул меня Саша. — Вот вы жалуетесь, Лена, в книжке... Вернее, ваша лирическая героиня жалуется, что во время поездок с Путиным по стране ей нигде в русской провинции не удавалось по утрам выпить ее обычного свежевыжатого апельсинового сока... А стакан водки с селедкой вы с утра не хотите!?! Вы что, не видели, как народ живет?!? Да народ, прочитав вашу книжку, начнет ненавидеть всех этих кремлевских журналюг и скажет: к ногтю их всех, зажравшихся буржуев! И правильно скажет!

— Ну, Саша, если коммунисты десятилетиями приучали мой народ спиваться, вместо того чтобы работать, то я уж лучше попробую привить ему любовь к свежевыжатому соку по утрам, чем сама перейду на водку, — язвила я в ответ.

— А чему научили народ ваши любимые демократы?!? — нагнетал обвинительную речь издатель. — Они пытались насильно привить русскому народу западные идеалы, которые нам чужды от природы. Нам пытаются сказать: ваше будущее через десять лет — это прошлое, через которое Европа и Америка прошли 50 лет назад. Это же унижение для народа!

А тем временем олигархи управляют страной вахтенным методом! Они давно все живут на Западе, и их дети тоже, а сюда, в родную страну, они приезжают раз в два месяца, только для того чтобы забрать денежки, которые выкачали из нефтяных скважин! И народу все равно — что Путин, что Ельцин — это все куклы, которые прикрывают воровской компрадорский режим! Вот из вашей книги очевиден вывод, что режим прогнил! Что Кремль прогнил! Класс олигархии прогнил! Надо создать новый параллельный Кремль! В этом спасение! А у вас в книге— где спасение? Вы не указываете людям путь к спасению!

— Саш, я вообще не сторонница классовых теорий и убеждена, что «спасение» может быть только индивидуальным, а не массовым... — отбивалась я как могла.

Я чувствовала, что Иванов, помимо моей воли, втягивает меня в какой-то тяжкий сюр: в последний раз подобные споры о смысле жизни я вела, наверное, лет в 14-15. Вместо того чтобы по-деловому сообщить свое решение — согласен он или нет публиковать мою книжку, — издатель-революционер планомерно выворачивал из меня душу.

— На самом деле, Лена, из книжки видно, что ваши идеалы близки к тем людям, которых в советское время называли диссидентами. А они, знаете, как жили? Они жили на чемоданах между метро «Аэропорт» и «Шереметьево-2»! Они только и ждали, пока их выгонят в эмиграцию, в их любимую так называемую западную демократию!

— Не смейте говорить о диссидентах! Вы просто не испытали на собственной шкуре, как они, что такое жить, когда к тебе приходят кагэбэшники с обыском ночью и вытаскивают пеленки из-под твоего грудного ребенка!

Под конец второго часа споров, когда мы оба уже срывались на крик, а у меня на глаза уже наворачивались слезы, потому что я четко поняла, что этот маньяк-Робеспьер НИКОГДА не издаст мою книгу, и вообще сквозь табачный дым этого странного, хиппанско-большевистского подполья мне уже казалось, что мир рушится, и я готова была бежать оттуда хлопнув дверью, Саша вдруг неожиданно сказал:

— Ладно. Книжка сильная. Я почувствовал, что она написана кровью. Пусть и не нашей, не русской, не народной кровью. Но вашей, авторской кровью. Я чувствую, что вы книгу выстрадали. Будем публиковать.

Вот так родился наш странный симбиоз с *Ad Marginet*. Очень скоро мы уже научились с Сашей Ивановым понимать друг друга. Например, когда я пыталась выяснить у него точные сроки выхода книги, издатель успокаивал меня:

— Да не волнуйтесь вы, Лена! Я считаю, раз ваша книжка и вам нравится, и нам нравится — значит, она уже состоялась — где-то в ноосфере! Поэтому теперь ну о каких сроках может быть речь? Какая разница — через неделю или через вечность? Мы УЖЕ с этой книжкой в нирване!

После чего, когда я, звоня директору *Ad Marginem,* не заставала его на его же собственном мобильном телефоне, то, разумеется, потом при встрече с пониманием осведомлялась:

— Вы в нирване, Саша, были, да?

Позднее Иванов на полном серьезе уверял, что если бы не тот наш с ним первый спор в подвале *Ad Marginem* — то он не стал бы печатать книгу:

— А то я сначала подумал: прилетела, видите ли, этакая молодая стрекоза из jet-set'а! И давай учить нас жить...

Думаю, для директора *Ad Marginem* сломать свои стереотипы и, поступившись классовыми теориями, предоставить «стрекозе из jet-set'а» трибуну в своем издательстве, было ничуть не легче, чем мне — дебютировать с первой книгой у русского «Робеспьера».

Кстати, я до сих пор сильно подозреваю, что именно остатки классовой ненависти, а не тонкий эстетский замысел, помогли Саше придумать название серии, в которой он выпустил в свет мою книжку: «Трэш-коллекция». Типа, мусор, по-русски.

ОТДЫХ ТИНТО БРАССА

Из-за всех этих долгих поисков издателя выход книги пришлось перенести на осень. *Ad Marginem* пообещал напечатать книгу в сентябре—октябре. Я с легким замиранием сердца думала об этом сроке: близость президентских выборов (в декабре) обещала не только придать еще большую сенсационность и без того взрывной для политической элиты книге, но и еще больше накалить зону риска, в которой я оказалась. Я специально заранее не говорила ничего о книге родителям, желая подарить им последние несколько месяцев спокойной жизни.

Тем временем я получала прямо-таки физическое наслаждение от редакторской работы над книгой. Саша оказался идеальным издателем: он не попросил меня внести в текст ни одной коррективы и предложил:

5*

— Ну вы просто сами еще раз перечитайте книгу и отредактируйте только то, что сами сочтете нужным.

Это стало для меня лучшей наградой после нескольких лет скрытой цензуры, установленной практически во всех московских редакциях после прихода Путина к власти — когда все статьи про Кремль даже в газете «Коммерсант» микшировались редактором, а мне под разными предлогами не давали публиковать политические комментарии.

В какой-то момент я вдруг поняла, что на самом деле «Байки кремлевского диггера» — это, по сути, моя личная газета. Раз ни одна из газет в России не в состоянии опубликовать то, что я хочу написать, — значит, я издам свою персональную газету на 382 страницах. «И посмотрим, господа редакторы и цензоры, чья газета будет популярнее: моя, или ваши — пресные и подцензурные», — подумала я.

Я не сомневалась, что книга станет бестселлером. И мечтала только об одном: суметь додержать факт ее выхода в секрете, пока тираж не появится в Москве. Я не строила никаких иллюзий и прекрасно отдавала себе отчет, что в преддверии выборов возможны любые неадекватные действия власти, начиная с ареста тиража книги и кончая... — но, честно говоря, даже моей буйной фантазии не хватило, чтобы заранее вообразить себе то, что потом произойдет на самом деле.

За пару недель до сдачи книги в типографию меня ждало еще одно испытание. Поздно, около двух часов ночи, мы с моей подругой Никой Куцылло (той самой девушкой, которая провела несколько дней в обстреливавшемся Белом доме и написала об этом книжку) возвращались из кино. Ходили в «Атриум» рядом с Курским вокзалом, потому что в тот момент Ника снимала квартиру у своего однокурсника Володи Ленского (бывшего корреспондента НТВ в Нью-Йорке, теперь работающего на ОРТ) в доме, где магазин «Людмила», а кинотеатр там в соседнем здании. Я села в такси, стоявшее у «Атриума», простилась с Никой и поехала к себе на Пушкинскую. А через минуту водитель вдруг почему-то свернул с Садового кольца в переулок направо. Я почувствовала неладное и потребовала остановиться и высадить меня. Но тут сзади мне кто-то приставил к горлу нож и закричал: «Всё! Сиди тихо!» Оказалось, что когда я садилась в машину, то не заметила из-за затемненных стекол, что сзади прятался еще один человек. Видимо, он сидел на полу за сиденьем согнувшись, на корточках.

Ну о чем еще можно было подумать в такой ситуации, когда у тебя сенсационная политическая книга готовится к сдаче в типографию? Разумеется, первой моей мыслью было: «это похищение».

Как же у меня отлегло от сердца, когда выяснилось, что этим добрым людям просто нужны мои деньги! Я отдала им по счастливой случайности оказавшиеся у меня с собой немаленькие наличные (кредитка их совершенно не заинтересовала, а наоборот, почему-то разозлила), и грабители выпустили меня из машины.

Позже в милиции мне сказали, что накануне рядом с Курским вокзалом (именно туда меня и пытались увезти нападавшие) нашли труп женщины.

По-видимому, меня спасло то, что, едва сев в машину, я сразу набрала по мобильному Нику — по какому-то наитию, потому что волновалась, как она там одна дойдет до своего дома (200 метров). И когда на меня напали, я успела крикнуть ей в трубку: «Звони в милицию!»

Как потом выяснилось, подруга моего крика уже не услышала: у меня успели выхватить телефон. Но бандиты-то этого не знали и, видно, испугавшись погони (мы совсем недалеко отъехали от «Атриума»), решили поскорее выпустить меня и на полной скорости смыться.

После выхода книги я еще не раз вспоминала это страшное и вместе с тем чудесно закончившееся (ни одной царапины — хотя к горлу был пару минут приставлен нож) происшествие.

В июле 2004 года, когда мы с Ленским, приехавшим на несколько недель в Москву из Нью-Йорка, собирались на дачу к Нике на день рождения, он попросил меня заехать за ним к «Атриуму».

— А-а, это где меня чуть не убили? — переспросила я.

— Нет, это где тебя чуть не убили В ПЕРВЫЙ РАЗ, — поправил меня Ленский. — Знаешь, по-моему, у твоего Ангела-Хранителя вообще очень натренированные крылья.

* * *

Дальше картинки стали меняться с быстротой калейдоскопа. 8 октября мой издатель Александр Иванов уехал во Франкфурт на Всемирную книжную ярмарку. К этому времени у нас с ним на руках было только семь так называемых сигнальных, типографских экземпляров моей книги. Из типографии нам сообщили, что весь тираж еще недопечатан, но будет готов вот-вот. Мой «Робеспьер» поделился со мной по-братски: две книги отдал мне, а пять взял себе. И повез для презентационных целей на книжную ярмарку во Франкфурт.

Я осталась в Москве ждать тираж. Книгу печатали в обстановке строгой секретности не в Москве, а в городе Екатеринбурге (или в Ё-бурге, как называют его в книгоиздательской тусовке). Путь из екатеринбургской типографии до Москвы на грузовых машинах составляет примерно день. Однако ни через день, ни через два после обещанного срока фуры с секретным грузом из Сибири так и не появились.

В день открытия Франкфуртской ярмарки мы, наконец, сняли конспирацию: издательство *Ad Marginet* официально выставило книгу на своем стенде на международной ярмарке.

Радиостанция «Эхо Москвы» в тот же день назвала книгу «главной сенсацией, с которой во Франкфурт приехали российские издатели». Цитируя слова моего издателя, журналисты анонсировали книгу как «первый неофициальный портрет президента Путина, увиденный глазами не влюбленной в него женщины».

Весть о книге разлетелась по российской столице в секунду. Мой телефон просто взорвался: политики, журналисты, имиджмейкеры — все хотели немедленно получить книгу. Однако грузовики с книгами из Екатеринбурга все не ехали. Я пыталась связаться с работниками типографии через свое издательство, но мне отвечали, что печатники ссылаются на «технические причины» и просят подождать еще несколько дней. А еще через несколько дней директор типографии вообще загадочным образом исчез, передав через секретаря, что «уехал в отпуск».

Ситуация сложилась парадоксальная: вся Москва уже знала о книге и бурлила, но физически достать ее было нигде невозможно. В том числе — книги не было и у меня!

Те два экземпляра книги, которые мой издатель оставил мне, уезжая во Франкфурт, я сразу же раздарила двум своим друзьям: первую — главному редактору «Эха Москвы» Алексею Венедиктову на день рождения его радиостанции, а вторую — лидеру партии «Союз правых сил» Борису Немцову на его собственный день рождения (который, как на грех, случился на следующий же день после открытия франкфуртской ярмарки).

Не знаю уж — с какого из этих двух экземпляров была сделана первая копия, но вскоре все партийные ксероксы в российском парламенте заработали на полную мощность.

Через пару дней мне позвонил совершенно незнакомый корреспондент газеты «Ведомости» и заговорщицким тоном сообщил:

— Елена, мы только что прочитали вашу книгу! Скажите, это правда, что ваш тираж арестовали?

Я как стояла, так и села:

— Откуда же ВЫ взяли мою книгу?!? Ее же еще нет в Москве!

— Ну, я не могу вам сказать, откуда я взял... Мне дали почитать ксерокопию...

Я бросилась звонить своей подруге Елене Дикун (бывшей журналистке кремлевского пула, которая в тот момент работала пресс-секретарем партии Немцова) и строго потребовала:

— Ленка, признавайся! Ту книжку, которую я подарила Немцову на день рождения, вы кому-нибудь давали ксерокопировать?

— Конечно, — не без гордости сообщила Дикун. — Мы уже, наверное, копий двадцать сделали. Нам в политсовет партии такой суперский ротапринт только что завезли на выборы! Почти производственный! Твоя книга там уже в памяти. Две минуты — и четыреста страниц готовы!

— Ты что, сумасшедшая?!? — заорала я. — Немедленно прекрати это делать! Не срывай мне тираж! Ну, подумай сама, если сейчас ксерокопия попадет к кому-нибудь в Кремле, то тираж книги действительно арестуют и не пустят в Москву!

— Поздно, Трегубова, — примирительно сказала Дикун. — Только что корреспондентка «Интерфакса» прибежала и рассказала, что ей ксерокопию твоей книги во фракции коммунистов дали...

Ксерокопии «Баек» размножались с космической скоростью и в геометрической прогрессии: через неделю, по нашим с Дикун скромным подсчетам, по Москве гуляло уже не меньше 500 копий. В аппарате правительства, Думе и прочих органах власти шла тихая и незаметная для начальства работа по распространению «самиздата» в массы.

Алексей Волин, бывший главный теневой пиарщик сначала Кремля, а потом Белого дома, специально заехавший к Дикун в штаб партии, чтобы взять себе ксерокопию, объявил мне по телефону:

— Трегубова, последний раз я таким интересным способом читал только книжки Солженицына в своей комсомольской молодости. Нам тогда тоже копии на ночь почитать давали...

Я была готова рвать на себе волосы. Ведь пока «Байки» еще не поступили в широкую продажу,

Кремль, поняв, какой ажиотаж вызывает книга, мог с минимальным скандалом пустить тираж под нож. Причем, как объяснили мне друзья-бизнесмены, для этого властям даже необязательно было применять силовые меры — достаточно было просто тихо выкупить весь тираж прямо в типографии. Благо, богатых мужчин в Кремле немало, и они вполне могли позволить себе такой невинный предмет роскоши.

В этом свете скоропостижный «отпуск» директора екатеринбургской типографии начинал уже и вовсе выглядеть подозрительным. «А ты не думаешь, что ему просто отгрузили несколько тысяч баксов и сказали: отдохни, приятель?» — волновались мои коллеги. Не менее подозрительным было и то, что, когда я просила отправить мне из этой ё-бургской типографии хотя бы небольшую сумку с книгами с человеком, летевшим самолетом из Сибири в Москву, и обещала даже оплатить билет, мне по необъяснимым причинам отказывали.

К концу второй недели задержки тиража мне позвонил лидер думской фракции СПС Борис Немцов и серьезно предложил:

— Трегубова, чем я могу помочь с книгой? Давай так: если через несколько дней тираж не появится в

Москве, я официально сделаю депутатский запрос и выступлю с ним с трибуны Думы.

Тем временем во Франкфурте вокруг моей книги разворачивалась еще более детективная история. Поскольку интерес к книжке был огромный, а у Саши Иванова, как я уже говорила, с собой было только пять экземпляров, он никому их не раздавал и использовал только в презентационных целях — выставил на стенде издательства. «Я собирался раздать книги только своим знакомым литературным агентам», — рассказал мне Саша по телефону.

Однако на следующий день после презентации два из пяти экземпляров моей книги, выставленных на стенде, украли. «Я сразу заметил какого-то странного серенького человека, явно не издателя и не литературного агента, который сначала долго вертелся около книги, умолял ее ему продать, а когда ему отказали, то начал листать ее и чуть ли не конспектировать текст в блокнот. Видимо, он, когда мы отвернулись, и украл!» — описывал эту франкфуртскую криминальную трагикомедию мой издатель.

Но самая комичная деталь состояла в том, что, как меня заверили, через несколько дней одна из книг, украденных во Франкфурте, появилась в Кремле, у пресс-секретаря Путина. Рассказал мне об этом корреспондент, работавший в кремлевском пуле для одной из московских газет. Как сообщил этот коллега, моя книжка была специально взята в длинную поездку президента в Куала-Лумпур на встречу президентов стран — членов Ассоциации Тихоокеанского экономического сотрудничества, и там ее до дыр зачитывали путинский пресс-секретарь, заместитель главы кремлевской администрации по международным вопросам и прочие члены свиты российского президента. Сомнений в том, что у них был именно украденный экземпляр, не оставалось: просто потому, что оба других экземпляра, существовавших в Москве, были СОБСТВЕННОРУЧНО МНОЙ ПОДПИСАНЫ (поскольку, как я уже рассказывала, их я подарила своим друзьям Венедиктову и Немцову). А других экземпляров в Москве ПРОСТО НЕ БЫЛО. Если, конечно, не предположить, что кремлевская книга была украдена из того самого задерживаемого тиража в Екатеринбурге, который нам отказывались выдать по техническим причинам.

На третьей неделе задержки тиража я «сломалась». И попросила Дикун сделать ксерокопию и для меня. Мои родители уже готовы были меня убить за то, что вся Москва говорит о моей книге, а у них все еще нет своего экземпляра.

В какой-то момент бредовая ситуация с задержкой тиража надоела моему другу Алексею Венедиктову — главному редактору радиостанции «Эхо Москвы», — и он решил поставить дело под «общественный» контроль: меня стали чуть ли не ежедневно приглашать в прямой эфир радиостанции, там регулярно зачитывались отрывки из книги, а эховские звезды — Андрей Черкизов, Сергей Бунтман и другие — то и дело устраивали в своих программах дискуссии о книге. «Пока тираж не отдадут, эта тема у меня каждый день в эфире будет!» — героически заявил Леша. И мне снова и снова звонили репортеры «Эха Москвы»:

— Как обстоят дела с вашим тиражом?

— Никаких изменений к сожалению...

— Отлично, это тоже — комментарий! Мы немедленно даем это в эфир!

В результате, через несколько дней в прямой эфир радиостанции «Эхо Москвы» уже звонили взволнованные радиослушатели, которые готовы были уже чуть ли не на баррикады идти с требованием отдать тираж Трегубовой.

Обо всем этом мне докладывала мама, слушавшая в те дни «Эхо» не отрываясь, практически круглосуточно, боясь пропустить хоть какие-то новости обо мне.

Так в России моя книга превратилась в самый громкий бестселлер года еще до своего выхода в свет.

Уж не знаю, что именно оказалось решающим фактором давления — презентация ли на Франкфуртской международной ярмарке, или молниеносное распространение «самиздатовских» ксерокопий «Баек» по коридорам власти, которое уже никто не мог ни остановить, ни контролировать, или вот такая массированная информационная поддержка моих друзей-журналистов, — но 30 октября, больше чем через три недели после обещанного срока, в Москву дошли первые несколько пачек с книгами.

Алексей Волин, не только прошедший непростую школу советской пропаганды, но и прекрасно знакомый с сегодняшней кремлевской кулуарной кухней, авторитетно заявил мне:

— Честно говоря, Ленка, мы все ни секунды не сомневались, что твой тираж не пропустят в Москву. А теперь все удивляются, как же это его пропустили...

* * *

Еще больше я была удивлена тем, как много журналистов в моей стране не побоялись меня открыто поддержать.

Я была готова к тому, что ни одно из московских изданий о книге вообще не напишет — из-за цензуры и страха карательных мер со стороны Кремля.

Только «Коммерсант» напишет, думала я. А всем остальным заткнут рот.

Однако случилось все ровно наоборот. Как только я получила на руки те самые первые два экземпляра книги, один из них у меня сразу взяла на ночь почитать заместитель главного редактора еженедельника «Власть», входящего в издательский дом «Коммерсант», Вероника Куцылло.

— Ты просто обязана дать нам «право первой ночи» на публикацию отрывков из книги! Все-таки как-никак мы — твоя родная редакция. Дай мне книгу, я подготовлю публикацию в ближайший же номер и сразу верну, — попросила Ника.

Я, разумеется, согласилась. Но на следующий день Ника перезвонила и траурным голосом сообщила:

— Вася запретил публиковать... (шеф-редактор издательского дома «Коммерсант» Андрей Васильев — Е.Т.).

У меня опустились руки. Если даже «Коммерсант», принадлежащий «оппозиционеру» Березовскому, побоялся опубликовать информацию о книге, то чего уж было ждать от прочих сервильных газет, давно уже целующих Путину все места?

Однако дальше события стали развиваться по самому неожиданному сценарию.

Первым изданием, опубликовавшим отрывки из книги, разумеется, стала интернет-газета «Грани. ру» — одно из последних неподцензурнох СМИ в России.

Следом за ними ко мне обратился Дмитрий Муратов — главный редактор «Новой газеты» — единственного печатного СМИ в России, плюющего на кремлевскую цензуру, — и попросил предоставить ему право печатать отрывки из моей книги в каждом номере.

Следующим изданием, решившимся опубликовать выдержки из книги, стал «Еженедельный Журнал», связанный с олигархом-изгоем Гусинским.

И тут — все покатилось как снежный ком. Произошла фантастическая вещь: в журналистах и главных редакторах газет, хоть и задавленных путинской цензурой, но взращенных все-таки на ельцинской рыночной почве, на какой-то момент профессионализм победил страх. И когда они смекнули, что моя книга УЖЕ стала главной политической новостью на российском информационном рынке, главные редакторы испугались уже не путинских цензоров, а того, что если они немедленно не опубликуют отрывки из «БКД» (так с легкой руки одного из моих коллег «Байки кремлевского диггера» стали тезками Большого Кремлевского дворца), то скорее них это сделают конкуренты. И все цензурные шлюзы были прорваны.

Когда мне позвонил главный редактор издания, принадлежащего предельно лояльному Путину олигарху (не буду называть газету, чтобы не портить ребятам жизнь), и попросил дать им право на публикацию пары глав из моей книги, я сначала просто не поверила своим ушам.

— Да вы что, все там — с ума посходили? Вас же уволят за это, а газету закроют! — изумилась я.

Но мне объяснили, что руководство редакции решило «воспользоваться тем, что Кремль сейчас по уши занят отставкой Волошина».

— А мы тут пока под шумок тебя опубликуем! Пусть потом разбираются!

Это был бунт. Бунт локальный, краткосрочный, но массовый. Было такое впечатление, что до этого все, как партизаны в окопах, только и ждали, кого бы поднять на знамя борьбы с цензурой. И внезапно подняли мою книгу.

Я не хвастаюсь. Я просто реально была счастлива и растрогана, что у меня получилось. Хотя бы ненадолго.

Мне ежедневно с самого раннего утра и до позднего вечера звонили коллеги из самых разных изданий в абсолютной эйфории и с совершенно одинаковым текстом:

— Ты сказала в книге то, что мы все хотели сказать, но не могли. Ты же понимаешь, нам надо сохранять аккредитацию, но эти кремлевские уже всех так достали, что сил больше нет. А ты врезала им за нас за всех. Спасибо.

Скоро в Москве не осталось ни одного печатного издания, которое бы не опубликовало рецензию на мою книгу или не напечатало бы отрывков из нее. Впрочем — нет, неправда: оставалось одно-единственное издание, хранившее гробовое молчание, словно книги и не было, — моя родная газета «Коммерсант».

Вскоре на адрес, где я была прописана и где живет моя бабушка, пришла телеграмма с официальным уведомлением от руководства «Коммерсанта», что если я «не объясню причин своего отсутствия на работе» (я была в творческом отпуске для публикации книги с согласия главного редактора), то с 1 ноября буду уволена.

Мне позвонила в полной панике моя старенькая, восьмидесятилетняя, бабушка, которая еще по сталинским временам помнила, чего можно ждать от таких телеграмм:

— Тебя посадят в тюрьму?!?

Это было уже довольно трудно понять и простить. Зачем же было бабушку пугать?

Разозлившись, я выбрала единственный адекватный, симметричный ответ: отправила в «Коммерсант» телеграмму, где любезно напомнила, что по согласованию с руководством издательского дома «Коммерсант» нахожусь в творческом отпуске для издания книги «Байки кремлевского диггера». На это «Коммерсант» не нашелся что ответить, и переписка оборвалась.

Чуть позже коллеги, сохранившие кремлевские источники, уверяли меня, что руководству «Коммерсанта» был звонок по поводу моей книги из Кремля. Якобы звонил Громов.

Я предпочла никогда не выяснять, так это или не так.

* * *

Мне по-прежнему был закрыт доступ на центральное телевидение — кремлевские пропагандисты резонно рассуждали, что газеты, пусть даже с массовым тиражом, все-таки оказывают неизмеримо меньшее воздействие на избирателей, чем телеканалы, являющиеся главным инструментом манипулирования электоратом.

В тот момент, когда тираж без объяснения причин задерживали в типографии и не пускали в Москву, репортаж об этом решился выдать в эфир только телеканал Ren-TV. Да и то — журналисты приехали, взяли у меня интервью, но почти неделю боялись дать его в эфир. Эмбарго было снято только в тот день, когда из Кремля был уволен глава администрации Волошин. Как признались мне потом корреспонденты, хозяева телеканала дали распоряжение «придержать» сюжет, и он несколько дней пылился на полке. Но потом руководство вдруг внезапно дало отмашку поставить его в эфир. Объяснение я могла придумать только одно: телеканал Ren-TV в тот момент принадлежал Чубайсу, который испугался, что после отставки Волошина в Кремле возникнет еще более резкий перевес сил в пользу его противников. Поэтому редакции телеканала стало выгодно поставить репортаж о «Байках», где критиковались чекистские методы работы Путина с прессой.

Но вскоре нашелся камикадзе, решивший сделать сюжет о моей книге и на центральном, общефедеральном телевидении.

14 ноября, в пятницу, мне позвонил ведущий еженедельной воскресной итоговой программы «Намедни» на НТВ Леонид Парфенов:

— Лена, ваша книга уже стала реальным бестселлером: она первая в рейтингах двух крупнейших книжных магазинов Москвы. Мы не можем пропустить это событие. Вы не согласились бы приехать к нам на съемки программы и дать интервью?

Я, разумеется, согласилась, спросив лишь, в каком формате он планирует делать сюжет.

— Ну, мы собираемся воссоздать в студии атмосферу вашего ужина с Владимиром Владимировичем Путиным... — туманно пояснил Парфенов. — Если приедете — сами увидите...

И я увидела... Эстет Парфенов ни в чем себе не отказал: он максимально близко к тексту воссоздал в студии антураж моего обеда с нынешним президентом России, который описан в книге. Прямо перед телекамерами стояла низенькая японская карликовая мебель, за которую меня попросили сесть. Прямо на пол. Я кое-как угнездилась, как гигантский кузнечик, испытывая до боли знакомые, описанные в классике, проблемы с тем, куда бы деть коленки. Передо мной поставили живописные японские чашечки и разложили приборы. Сам Парфенов тоже уселся на пол — только за камерами, напротив меня, и принялся задавать вопросы.

Мы говорили о том, чем был Дедушка Ельцин для российской прессы, и о том, что Путин превратился в могильщика всех гражданских свобод, которые Ельцин дал стране. О том, что Путин в отличие от Ельцина — к сожалению, очень плохой публичный политик, начисто лишенный харизмы и элементарного человеческого дара сочувствия людям. И что именно из-за этого Путин, видимо, так боится свободных СМИ, уничтожает телеканалы и затыкает рот журналистам. Потому что боится, что если бесцензурное телевидение покажет его народу, то у него просто не будет шансов быть избранным.

Парфенов выспрашивал у меня какие-то бытовые детали моего обеда с Путиным. Мы с ним посмеялись, что теперь, после его программы, настольная игра «Обед Путина с Трегубовой» войдет в каждый дом: в магазинах будут продаваться наборы «Сделай сам» с одноименным названием, с посудой для суши, бутылочками сакэ и сборной японской мебелью.

Интервью получилось длинным — почти час.

— Но вы уж извините, Лена, мы для программы возьмем только небольшой фрагмент, минут на восемь. Вы уж сами понимаете... Не обижайтесь, — сразу предупредил меня Парфенов.

— О чем вы говорите, Леня! — рассмеялась я. — Да если вам вообще позволят в вашей программе хотя бы произнести вслух мою фамилию и название моей книги — я и так уже буду считать это актом гражданского мужества с вашей стороны!

— Мне никто ничего не может позволить или запретить, — обиделся Парфенов. — Я говорю в своей программе все, что захочу. Вы неверно себе представляете ситуацию.

На этом мы расстались, пожав друг другу руки. И я с некоторой долей озорства стала ждать вечера воскресенья, когда программа Парфенова должна была выйти в эфир. Честно признаюсь: я ни секунды не верила, что Парфенову позволят сделать то, что он задумал.

Однако уже в субботу на канале НТВ начали крутить анонсы программы с моим интервью. А в воскресенье, 16 ноября, эти ролики крутили уже чуть ли не каждый час. Все мои друзья-журналисты тоже с напряжением ждали девяти вечера, недоумевая и уже почти ликуя: неужели нам и правда удалось прорвать блокаду и на телевидении?

Однако в шесть часов вечера мне на мобильный позвонил Парфенов и чуть ли не в суицидальном состоянии выпалил:

— Лена, программы не будет. У меня только что был часовой разговор с глазу на глаз с гендиректором телекомпании Сенкевичем, и он в категорической форме запретил мне давать сюжет о вас в эфир... Я ему сразу сказал, что не намерен выглядеть полным дерьмом и врать вам, что я, якобы, случайно пролил кока-колу на кассету с вашим интервью и что сюжета не будет по техническим причинам. Поэтому я вам и позвонил, чтобы честно сказать — это акт цензуры...

Морально я оказалась гораздо больше готова к такому развитию событий, чем Парфенов, так что мне же еще пришлось его и утешать:

— Да не расстраивайтесь вы так! Как будто вы раньше не видели, что вокруг вас происходит! В любом случае я невероятно ценю вашу честность. Ничего, кроме уважения, ваш поступок вызвать не может.

Но Парфенов распрощался со мной чуть ли не в слезах. Я прекрасно понимала его состояние: если до этого в нем поддерживали иллюзию, что он — священная корова и что он на особом счету у Кремля, то теперь его откровенно унизили перед всей страной и показали, что и у его персональной свободы слова тоже очень узкие границы.

К несчастью для цензоров, Россия — страна огромная, и парфеновский сюжет о моей книге уже успел выйти на так называемые «орбиты». То есть полстраны, начиная с Дальнего Востока, Сибири, уже успели увидеть программу целиком. (Кстати, оказалось, что, например, в Казахстане сюжет тоже было видно, и, когда я в апреле 2004 года по приглашению дочери Назарбаева Дериги приехала в Алма-Ату на международный медиа-форум, весь город буквально носил меня на руках.) Москва же и все центральные регионы успели увидеть лишь маленькие анонсы программы с моим интервью. А потом от Парфенова потребовали срочно переверстывать выпуск «Намедни», вырезав любые упоминания обо мне. По словам Парфенова, начальство мотивировало это «политическими, этическими и какими угодно другими соображениями». И в девять часов вечера по московскому времени программа «Намедни» вышла уже в кастрированном варианте.

Это было фантастически откровенной демонстрацией неуважения цензоров к собственной стране: значит, население Дальнего Востока они считают быдлом, которому все равно, что показывать, — они и так проголосуют как надо. А вот москвичам нельзя такое смотреть, а то Кремль ругаться будет.

Благодаря честности Парфенова, сразу заявившего о цензуре, репортерам удалось застать гендиректора НТВ Сенкевича врасплох. И когда с радиостанции «Эхо Москвы» ему позвонили и прямо спросили, действительно ли он только что совершил акт цензуры и приказал снять сюжет о Трегубовой, от растерянности Сенкевич сказал: «Да».

Воспользовавшись откровенностью цензора, Союз журналистов России немедленно направил письмо генпрокурору с требованием возбудить уголовное дело против гендиректора НТВ по статье Уголовного кодекса «Воспрепятствование законной профессиональной деятельности журналиста» (которая, кстати, предполагает тюремное заключение для цензора). Но генпрокурор у нас, как известно, назависимый.

Весь русский интернет был наводнен только одной новостью: случился первый за всю постсоветскую историю России акт откровенной политической цензуры.

Как на грех, покопавшись в биографии цензора НТВ, папарацци обнаружили, что по профессии он даже не журналист, а врач-проктолог. Этот «компромат» был немедленно выложен в интернете.

Сенкевич, сообразив, какую гигантскую глупость сморозил, тут же сделал вторую, еще бо́льшую глупость: принялся направо и налево оправдываться в интервью, что снял сюжет якобы потому, что там содержалась «пошлость».

Над беднягой Сенкевичем смеялись уже все: «Врач-проктолог решил объяснить эстету Парфенову, что — пошлость, а что — нет».

А потом кто-то из коллег залез в программу воскресных передач НТВ и обнаружил, что ровно после программы Парфенова с сюжетом о моей книге в эфир поставили «фильм для взрослых Тинто Брасса». Тут уж над Сенкевичем стали вообще хохотать в голос: «Значит, снятый сюжет о Путине представляется ему большей пошлостью, чем полупорнуха Тинто Брасса?»

Я на вопросы о несчастном зачморенном Сенкевиче лишь отшучивалась, что теперь, за такую рекламу, должна ему проценты от продаж. И уж как минимум букет роз с запиской: «Это вам, доктор!» Прошу прощения у тех, кто знает анекдот.

Словом, Тинто Брасс отдыхал.

Поздно ночью мне позвонил известный русский сетевой менеджер Антон Носик и поздравил с тем, что на портале yandex.news.ru новость о снятии сюжета обо мне в «Намедни» по популярности опередила даже новость о том, что «Аль-Каида» взяла на себя ответственность за происшедший в тот момент теракт в Стамбуле.

— Готовьтесь, Лена. Как бы теперь «Аль-Каида» вас не «заказала» из ревности, что вы стали популярнее нее, — посмеялся Носик. (Подозреваю, что через три месяца взрыв у моей двери устроила все-таки не эта организация. — Е. Т.)

Теперь даже моему бывшему главному редактору, только что уволившему меня с работы, пришлось опубликовать у себя в «Коммерсанте» статью о скандальном снятии сюжета.

«Ну что ж, раз «Коммерсант» отказывался публиковать мои статьи как журналиста — то пусть теперь публикует обо мне статьи как о ньюсмейкере», — улыбнулась я, когда мне позвонили за комментариями.

Издательство уже не справлялось с количеством заказов на книгу. Всего за неделю продаж «Байки» подчистую смели из всех крупнейших книжных магазинов Москвы. На складах тоже ничего не осталось, и надо было допечатывать тираж.

И как раз к тому моменту, когда грянул скандал со снятием сюжета обо мне на НТВ, в столице возник острейший дефицит на БКД.

Народ ломанулся в магазины: срочно читать чего ж там такого «пошлого» снял из программы Сенкевич. Спекулянты начали накручивать цены на книгу, в десять, а то и в двадцать раз превышавшие закупочные.

В понедельник утром после скандала на НТВ мне позвонила Маша Слоним:

— Я тут стою на Новом Арбате возле «Дома книги» и пытаюсь купить твою книгу. Меня мама попросила ей в Англию прислать...

— Машка, ты что — сумасшедшая? — начала было ругаться на нее я. — Не смей покупать книгу! Я тебе дам, у меня дома еще штук пять авторских экземпляров осталось!

— Подожди, не перебивай меня! — продолжила Маша. — Дай рассказать! Тут просто фантастика происходит! В самом «Доме книги» уже ни одной твоей книги не осталось, все расхватали! Я подошла на улице к лотошникам, которые продают книги из-под полы, а они мне говорят: «Ну, если хотите — ждите книгу до завтра. Может, ее подвезут со склада, а может быть, и нет. А если хотите сегодня — давайте три тысячи рублей!» Такого ажиотажа я никогда в жизни не видела!

Вслед за Машей мне позвонил корреспондент японской телекомпании со знаковым для русского уха названием NTV и взмолился:

— Лена! Может быть, у вас остался экземпляр вашей книги? А то нам только что на черном рынке предложили купить ее за двести долларов!

— Подождите, подождите! — захохотала я. — Мне вот только сейчас моя подруга сказала, что на Новом Арбате ее по сто баксов продают. Почему уже по двести?

— Да мы были готовы купить за сто долларов! Но в магазине «Москва» на Тверской нам сказали, что те, кто хотел купить ее по сто долларов, со вчерашнего дня в очередь записывались.

Мне пришлось взять на складе в издательстве дополнительную пачку книг специально для того, чтобы дарить ее журналистам, которые брали у меня интервью. Но «народная тропа» русских и зарубежных СМИ выстроилась ко мне еще длиннее, чем в советское время к мавзолею: *Reuters, ARD, BBC, Sunday Times, Le Monde, Washington Post, Newsweek, Stern, Focus, Frankfurter Allgemeine, Süddeutsche Zeitung* и далее везде. Сначала не осталось книг для подарков. А потом не осталось уже ни времени, ни сил, чтобы есть, спать и жить. Весь день уходил на то, чтобы давать интервью, или в изнеможении отказывалась от них, когда я доползала до дома и замертво падала в кровать.

Впрочем, насчет еды это я слукавила. У меня не то чтобы не было на это сил и времени — еда у меня уже просто из ушей лезла! Потому что фантазии всех телеоператоров всех мировых телекомпаний в основном хватало ровно на то, чтобы попытаться разыграть с моим участием ту же сценку, что разыгрывал и Парфенов. И ту же, что разыгрывал Путин. Короче, все умоляли меня прийти на интервью в японский ресторан, причем желательно — в «Изуми», где уже, по-моему, собирались повесить мемориальную доску.

Так я проводила несколько «завтраков», с десяток «обедов» и еще неприличное, не поддающееся исчислению количество ужинов, переходящих в бесконечность. В смысле — в завтраки.

Меня уже тошнило от одного вида еды и ресторанов. Но принимать всех страждущих журналистов у себя дома — в маленькой съемной квартире с двумя кошками — было невозможно. А с учетом того, что к этому времени я уже стала полной вегетарианкой и не ела ни рыбы, ни мяса, официанты близлежащих ресторанов, когда я заваливалась туда с очередной съемочной группой, уже встречали меня легкой иронической улыбкой:

— Девушка, вам как всегда? Чай *Earl Grey* и все?

Был еще один кошмарный аттракцион. Начитавшись моих баек, впечатлительные коллеги-журналисты, ожидавшие меня в каком-нибудь кафе для интервью, пока я (кто бы сомневался) опаздывала, загодя просили официанта к моему приходу принести стакан свежевыжатого сока. Типа, остроумно шутили. Причем думали, что шутка оригинальна. Первые пять раз я смеялась. Еще десяток раз — вежливо улыбалась. Потом уже стало не до смеха. В общем, безжалостная пытка апельсинами продолжалась **так** много суток подряд, что — не поверите! — я теперь БОЛЬШЕ ВИДЕТЬ НЕ МОГУ АПЕЛЬСИНОВЫЙ СОК. С души воротит! Хватит, господа.

А потом какая-нибудь *Corriere della Sera* возбужденно сообщала читателям: «Она стремительная, как ее жизнь, Елена, с длинными вьющимися волосами, обрамляющими красивое лицо: «Мне только минеральной воды, спасибо. Мне надо быть в форме, предстоят еще встречи!»

Или, появлялась в *Reuters* красноречивая бытовая зарисовка: *I wanted to write a book in a style that ordinary people would understand, said Tregubova, chic with long blonde curls, at a downtown restaurant, her account being interrupted by a half dozen telephone calls.*

Бывали, правда, и другие портреты. Можете себе представить, как, например, «обрадовался» мой папа, прочитав в *Berliner Zeitung,* что я пришла на интервью с всклокоченными волосами, словно только что с постели! Конечно, только что с постели, коллеги! Скажите спасибо, что вообще пришла! Доползла, вернее, потому что в те дни я уже буквально едва таскала ноги от неимоверной усталости. Но пока хватало сил, я никому не отказывала в интервью. Просто потому, что считала важным, без шуток, что мне удалось пробить стену (существовавшую, в том числе и в западных СМИ, из-за дружбы Буша с Путиным на почве тотального «антитеррора») вокруг установленного Путиным в России режима политической цензуры.

Признаюсь: было довольно неловко читать о себе, почти как о статуе Свободы:

I never intended it to be like this, said Tregubova, when asked how she felt about becoming — overnight — a symbol of press freedom in Russia, — передавал *Reuters.*

Это правда было довольно странным ощущением. Когда я писала книгу, то не сомневалась, что к
ней придет известность, в том числе и на Западе.
Но я не ожидала, что это произойдет настолько неприлично быстро. Неприлично потому, что попу-
лярной моя книга стала еще ДО того, когда ее вообще еще хоть кто-нибудь прочитал.

Вскоре я получила по «аське» записку от своего
любимого. Записка была, скорее, не романтичес-
кого, а эпического содержания: «Запомни этот день.
Ты «сделала» Гарри Поттера».

Оказалось, что в этот момент в интернет-магази-
не *OZON.ru,* продающем книги, моя книга побила
все рейтинги и заняла первое место, оставив далеко
позади и Гарри Поттера, и Мураками, и Коэльо.

К Новому году мы продали уже 150 тысяч экземпляров книги. И даже это не насытило потребнос-
ти книжного рынка Москвы и Санкт-Петербурга.
Издательство *Ad Marginet* уже просто физически не
справлялось с допечатками тиража, и мой издатель
всерьез подумывал над тем, чтобы привлечь к допе-
чатыванию сразу две—три дополнительные типографии.

За десять дней до парламентских выборов в России книжка вновь загадочным образом исчезла из
продажи не только во всех крупных магазинах Мос-

квы, но и во всех мелких точках, в ларьках и переходах метро. Большие магазины уверяли нас, что книга распродана, а со склада еще не завезли. Но на нескольких точках продавцы говорили, что книгу у них изъяли из продажи. Однако, когда мы предлагали им сделать официальное заявление и точно указать, какие органы и какие конкретно сотрудники это сделали, продавцы боялись потерять свой бизнес и отказывались. Но на следующий день после парламентских выборов книга вновь, как по мановению волшебной палочки, появилась во всех московских книготорговых точках.

Ровно за неделю до Нового года руководитель Центра экстремальной журналистики Олег Панфилов попросил у меня разрешение вывесить текст моей книги у себя на сайте в интернете. 31 декабря он позвонил и поздравил меня:

— Сегодня мы отметили миллионного посетителя на твоей книге. И это за неделю! У нас чуть не сломался сервер из-за наплыва желающих тебя почитать...

Так цензоры времен Путина и Сенеки еще раз наглядно доказали, что ничему не научились на ошибках своих советских праотцов. И прописная истина, что запрет — это лучшая реклама, так и осталась для них невыученным уроком.

СЛИШКОМ ГОРЯЧАЯ РЕАКЦИЯ

Если вы подозреваете, что Путин позвонил мне и поблагодарил за книжку, то слегка ошибаетесь. Уже после взрыва под моей дверью, когда я сидела в гостях у московского корреспондента *Sunday Times* Марка Франкетти, который в честь моего чудесного избавления от смертельной опасности сварил бесподобные вегетарианские феттучини, я услышала от одного из его гостей:

— Лена, а правда, что Путин отдал приказ закрыть радиостанцию «Эхо Москвы», потому что когда ехал в Кремль с дачи и включил в машине радио, то услышал, как по «Эху Москвы» зачитывают отрывки из вашей книжки?

Я аж пастой поперхнулась. Но предпочла отнести эту историю к разряду героического фольклора, которым начала обрастать книга.

Тем не менее, суть этого рассказа подтверждал и один весьма высокопоставленный источник. Не буду, уж простите, его называть. Источник утверждал, что Путин был в ярости после прочтения «Баек» и якобы поручил одному из замов главы своей администрации «разобраться» с радиостанцией «Эхо Москвы», журналисты которой давали в эфир информацию о книге.

Я сочла не вполне корректным допытываться о деталях этой истории у своих друзей на «Эхе».

* * *

Министр печати Лесин поступил несколько более мужественно, чем его начальник. После прочтения «Баек кремлевского диггера» он решил послать мне авторизованную черную метку. Как передал мне через мою бывшую коллегу главный редактор «Коммерсанта» Андрей Васильев, приятельствовавший с Лесиным, «...министр интересуется: Трегубова отдает себе отчет, что этой книгой она себе выписала волчий билет?»

Но я искренне надеюсь, что под волчьим билетом министр подразумевал все-таки, что меня уволят из «Коммерсанта» и что больше я нигде в России не смогу работать как журналист. А не то, что меня через пару месяцев попытаются взорвать. Иначе я решила бы, что я плохой физиогномист.

Матеря на чем свет мою книгу, Лесин, однако, признался другим нашим общим знакомым:

— Абсолютно все, что Трегубова там обо мне написала в своей книжке, — правда. Из чего я делаю вывод, что и все, что она написала про других политиков, — тоже абсолютная правда.

Причем, по словам его собеседников, последнюю фразу министр (тогда еще действующий, а теперь уже бывший) произносил с нескрываемым удовольствием.

* * *

Тем временем Кремль переполняли самые что ни на есть параноидальные версии о происхождении моей книжки.

Одно время кремлевская тусовка считала, что «Байки» мне «заказал» Волошин. Более того, один из недалеких от Кремля людей в частной беседе на полном серьезе спросил меня: «Это что, Стальевич тебе помог тираж книги спасти, когда ее в типографии задерживали? Там, честно говоря, все думали, что это прощальный подарок твоего "друга"».

Сейчас расскажу, как все было с Волошиным на самом деле. Мы с ним действительно созванивались в тот момент, когда мою книгу по необъясненным причинам три недели задерживали в типографии. Дело происходило сразу же после ареста Ходорковского, и я знала, что Волошин уже написал Путину заявление об отставке.

Я, разумеется, первым делом спросила Волошина не о своих, а о его проблемах:

— Александр Стальевич, вы, говорят, заявление об отставке написали?

— Я заявление написал о том, чтобы мне скорее книжку Трегубовой почитать дали! — пошутил в своей обычной манере Волошин. — Ты куда вообще пропала? Когда книжку дашь почитать?

— Если хотите почитать книжку, тогда дайте там, пожалуйста, распоряжение ответственным органам, чтобы они книжку из типографии, наконец, выпустили и дали ее довезти до Москвы! — «пошутила» в ответ я.

— Да куда денутся, пропустят... — посмеялся Волошин. — Приходи в гости, а? Скажем, в пятницу? Жду от тебя книжку в подарок! Придешь?

— Я-то приду. Да только куда к вам уже будет «в гости»-то приходить? Вас ведь уже небось уволят к тому времени! У вас и кабинета-то своего к тому времени в Кремле не будет, — по-доброму, по нашей хорошей традиции, пошутила я над ним.

И как в воду глядела.

Разговор этот у меня с Волошиным состоялся во вторник. В четверг поздно вечером после трехнедельной задержки в Москву внезапно для всех довезли мой долгожданный тираж книги. А в четверг ночью стало известно, что Волошин отправлен в отставку. Так что в пятницу мне уже действительно некуда было идти к нему «в гости», чтобы подарить книжку. Таким образом, и его, и мои «шутки» в том телефонном разговоре оказались в руку.

После этого Волошин так и не перезвонил. Я вот думаю: может, ему книжка моя не понравилась? Прямо даже и не знаю, с чего бы это.

Тем временем из-за «Баек» мы с Волошиным уже превратились чуть ли не в героев комиксов. Пока что, к счастью, только виртуальных. В один прекрасный день у меня вдруг опять начал разрываться телефон. Вопрос, которым меня атаковали телевизионщики и газетчики, был довольно нетипичным:

— Скажите, Лена, а вы не замужем?

— Почему это вас интересует? — слегка удивилась я. — Вы что, хотите сделать мне предложение?

— Понимаете, тут появилась информация, что вы выходите замуж... за Волошина, бывшего главу кремлевской администрации... Вы уж извините, поскольку вы теперь фигура такая общественно значимая, мы и вынуждены у вас поинтересоваться вашей личной жизнью...

Я расхохоталась:

— Откуда вы взяли эту информацию?

— Вы зайдите на сайт *http://vladimir.vladimirovich.ru* и посмотрите...

Сайт, указанный как источник этой информации, принадлежит популярному сетевому автору *Parker'y,* который умудрился зарегистрировать как свой бренд имя-отчество российского президента: «Владимир Владимирович.ТМ»

На этот раз наряду с совершенно реальным событием — отставкой одного из президентских референтов — «Владимир Владимирович.ТМ» описал разговор президента Путина с его новым главой администрации (назначенным вместо Волошина):

— Ты только не переживай так сильно... Понимаешь, Трегубова замуж выходит...

— За кого? — восклицает Путин.

— За него. За бывшего главу твоей администрации Волошина, — отвечает ему глава администрации.

Тогда Путин хватает из секретного сейфа «ногу Шамиля Басаева и руку Руслана Гелаева» и принимается в ярости колотить ими мою книгу.

Заканчивается репортаж трагически:

«Владимир Владимирович сидел в углу своего кремлевского кабинета и сжимал кулаки. По его президентским щекам текли скупые мужские слезы».

* * *

Скупые мужские слезы вскоре пришлось вытирать и Михаилу Касьянову. Как мне рассказали, прочитав мою книгу, он был неприятно изумлен, что ни разу там не упомянут.

— Радуйся! И скажи ей за это большое человеческое спасибо,— образумил его один из персонажей БКД.

Касьянов признался, что, вообще-то, «книжка Трегубовой ему очень понравилась». И через несколько недель после этого был уволен из премьеров.

* * *

Реакцию прочей политической тусовки на мою книжку точнее всего описала Дикун: «Когда они читают про других политиков — хохочут как сумасшедшие. А как только доходят до себя — мрачнеют как тучи и моментально теряют всякое остроумие».

Живым примером такой реакции чуть было не стал мой друг, лидер российских либералов Борис Немцов, которому, как вы помните из предыдущей истории, достался первый сигнальный экземпляр книги. В подарок на день рождения.

Немцов был дико горд, что книжки еще нет ни у кого в Москве — а у него уже есть. И я, разумеется, ожидала, что он тут же набросится на нее, проглотит за одну ночь и позвонит мне с комплиментами.

Но не тут-то было. Прошел день, два, неделя, а звонка от Немцова все не было. Ну, думаю, наверное, занят предвыборной борьбой. Сама я ему решила не перезванивать: неудобно же как-то автору напрашиваться на похвалы. Я решила подождать. Но прошла еще неделя, а Немцов все молчал как рыба об лёд.

Я не выдержала и перезвонила Ленке Дикун, работавшей тогда его пресс-секретарем, и спросила:

— Слушай, в чем дело? Я просто не верю, что Боря до сих пор не прочитал книгу! Почему он не звонит — он что, действительно так сильно занят?

— Знаешь, это ОЧЕНЬ хорошо, что он не звонит. Пусть он хотя бы немного остынет... — нервно рассмеялась Дикун.

— Ты хочешь сказать, что он на меня обиделся?!? — изумилась я.

— Не то слово! — все с тем же нервным смехом поведала мне Дикун. — Ты бы слышала, как Боря кричал: «С-ка Трегубова! А еще друг называется! Она же там у себя в книжке меня ... изобразила! (Смысл непечатного термина, употребленного, по рассказам Дикун, Немцовым по отношению к своему персонажу из «Баек», точнее всего было бы перевести на литературный русский язык как «чересчур открытый парень». — Е. Т.)

Я знала, что по части способности посмеяться над собой у Немцова все в порядке. Поэтому реши-

ла действительно просто подождать, пока он остынет. И правильно сделала: как только до Немцова
дошли сведения, что мой тираж задерживают, он
весьма благородно, забыв про свои обиды, позвонил мне и предложил с думской трибуны выступить
с депутатским запросом по этому поводу как лидер
фракции.

— Трегубова, если честно, то книжка очень смеш-
ная! — сообщил мне мой друг Боря. — Я смеялся в
голос, когда читал! Но как ты про меня написала?!?
Стерва!

* * *

С другим правым деятелем мне пришлось даже
помериться тиражами. В конце 2003 года у меня
была презентация в Питере в книжном магазине на
Невском, 13, который принадлежит ведущей кни-
готорговой фирме «Буквоед». Сев в самолет на об-
ратном пути, я поняла, что авиакомпания, видимо,
специально сортирует пассажиров по интересам:
мне дали место рядом с Альфредом Кохом, который незадолго до этого тоже выпустил книжку —
«Ящик водки».

Поскольку писатель Кох по совместительству яв-
лялся еще и главой избирательного штаба «Союза

правых сил», а дело было буквально за неделю до парламентских выборов, я, разумеется, едва сев, стала мочить его за трусливую позицию СПС по аресту Ходорковского. Да, безусловно, на фоне всех остальных трусливо молчавших бизнесменов и политиков «крестный отец» СПС Анатолий Чубайс, сразу после ареста выступивший по телевизору против «выборочного правосудия», когда репрессируются только неугодные властям предприниматели, выглядел прямо-таки последним героем. Однако ни он, ни кто-либо другой из правых так и не решился перед выборами публично произнести то единственное и главное имя госзаказчика посадки Ходорковского, которое все они со стопроцентной уверенностью называли в кулуарах. Протест Чубайса тоже был трусливо адресован только Генпрокуратуре — точно так же как за три года до этого, на заре путинского президентства: в момент посадки Гусинского. Тогда, после того как Гусинского общипали и вышвырнули за границу, Чубайс еще долго с гордостью поминал мне эту свою подпись под вялым обращением к прокурору, когда я упрекала его, что он лег под Путина и предал свои же либеральные убеждения.

За годы путинских реформ моральный прогресс правых явно не стоял на месте. Теперь на мои упреки, что «либералы» покорно проглотили арест Ходорковского, друг Чубайса Кох возразил:

— А меня сейчас абсолютно все устраивает! Знаете, что в советские годы с вами за такую книгу сделали бы? Уже давно бы принудительное питание через клизму в психушке вливали!

Я на пальцах пыталась доказать Коху, что их тактика по Ходору «две шаги налево, две шаги направо» даже не просто аморальна, а предельно неэффективна с менеджерской точки зрения. До сих пор убеждена, что если бы в тот момент правые не испугались и не подставились Кремлю в удобной позе, а честно выступили бы как представители либерального электората (который в тот момент был ярко выражено протестным) с жесткой критикой репрессивных действий Путина против Ходорковского, а также действий Кремля по установлению тотальной цензуры в СМИ — то они не просто прошли бы в Думу, а получили бы на выборах как минимум 15%.

Мне долго объясняли потом, что встать в оппозицию мешала некая кулуарная договоренность, которая якобы была у СПС с Кремлем. Якобы с Сурковым. Который якобы пообещал лидерам СПС, что, если они перед выборами откажутся от критики Путина в своих публичных выступлениях, их партию пропустят в Думу и не будут перекрывать кислород на телевидении для их предвыборной рекламы. Ну что ж, если такая сделка действительно имела месте, то можно только поздравить Кремль с еще одной удачной разводкой.

За время нашего полета Питер—Москва мне, разумеется, ни в чем не удалось убедить Коха: он все твердил мне, что ему «посчитали», что их электорат поддерживает Путина.

— Вот, послушайте, какие мне дают рейтинги...

— Да какие у вас рейтинги! — разозлилась я, когда мы уже приземлялись. — Вы знаете, что моя книга уже на первом месте в рейтинге бестселлеров во всех магазинах Москвы? А ваша книга, между прочим, в конце всех рейтингов плетется! Вот это — реальные рейтинги.

Я знала, что это удар под дых. Вернее, по писательскому самолюбию. Причем удар несправедливый, потому что его книжка сделана совсем недурно. Но иного средства воздействия, кроме шоковой терапии, в моем арсенале уже не оставалось.

— Ах так?!? — заорал Кох с моментально загоревшимся маниакальным азартом в глазах. — А вот мы сейчас приземлимся и проверим в аэропорту, чья книжка лучше расходится!!!

И, едва выйдя в зал прилета «Шереметьево-1», мы, как два маньяка, одержимых нарциссизмом,

моментально позабыв, что Родина в опасности, от-
пихивая локтями друг друга и не вовремя попавшуюся под ноги изумленную публику, наперегонки
бросились к книжным лоткам.

Это была моя сокрушительная моральная побе-
да. В первых двух ларьках книги могильщика НТВ
Коха не оказалось вовсе.

— Так ведь это же значит, что ее всю раскупили!
Это же прекрасно! — радовался, как ребенок, Кох.

— Не раскупили — а не завезли. Расходится плохо, вот мы и не заказали, — быстро вернула его с не-
бес на землю продавщица.

«Байки» были выставлены везде.

Наконец, в третьем киоске мы отыскали «Ящик»
Коха.

Трагикомедия с продавщицей, у которой мы пытались узнать «рейтинги», едва поддается описа-
нию. Она в тот момент разговаривала с кем-то, кажется с любимым человеком, по телефону. Разговор был явно тяжелым.

— Вася, ты меня неправильно понял... — с похо-
ронным выражением на лице говорила она в мобилу.

Тут Кох подскочил к ней и, как джентльмен, чтобы не мешать ее личному разговору, начал молча

тыкать пальцем в «Байки» и одними губами спрашивать:

— Сколько экземпляров продали сегодня?

Но Вася явно ничего не желал понимать, и поэтому женщине уже было ну совершенно пополам, что у ее киоска приплясывают от нетерпения с нездоровым блеском в глазах авторы двух выставленных у нее на прилавке бестселлеров.

— Вася, я тебе клянусь, ты меня неправильно понял. Ничего такого не было... — совсем уже упавшим голосом уговаривала она трубку.

Тут продавщица заметила, наконец, Коха, расшифровала его пантомиму по поводу моей книги и с какой-то горечью сунула ему в лицо свою растопыренную ладонь: пять экземпляров.

Но Кох, разумеется, не унимался и опять начал приставать к бедной женщине — теперь уже со своей книжкой.

Тут киоскерша обернулась и **так** показала нам один палец, что разночтений в том, что это — фигура, а не цифра, быть не могло.

Мы с Кохом обменялись книжками (причем каждый купил в ларьке свою книгу и передал конкуренту) и разошлись по углам писать язвительные дарственные надписи.

7*

Я, памятуя, что Кох как-то раз назвал себя «великим русским писателем», разумеется, вывела на титульном листе: «Великому русскому писателю от великой русской писательницы».

Алик примирительно написал мне: «Жаль, что приходится конкурировать. Если бы договорились, могли бы поделить рынок».

* * *

Что же касается моей вечной сердечной боли — Чубайса, то он, как пересказали мне мои друзья с радиостанции «Свобода», грустно заявил им в интервью, что «Байки кремлевского диггера» — очень искренняя книга, но что он «до сих пор так и не понял, к кому я причислила его лично — к мутантам или диггерам».

Видите ли, Анатолий Борисович. Я вам напоследок, как диггер — диггеру, раскрою тайну. Главное в диггерском деле — не забывать: консервы имеют свойство портиться. И если диггер, уходя в подполье, берет с собой консервы, нужно четко знать их срок годности. Именно так вы законсервировали свой ресурс влияния — в надежде на то, что в самый последний, критический момент вскроете НЗ и всех спасете. Но критический момент уже прошел. А вскрывать НЗ уже незачем — поздно. Стухло.

Самое обидное, что ресурс личного влияния на ситуацию в стране потенциально был у вас, пожалуй, больше, чем у кого бы то ни было в России. Просто потому, что для Запада вы оставались последним «живым» символом (или, скорее, иллюзией) либеральных рыночных реформ в России. И ровно поэтому до недавнего времени все кремлевские руководители предпочитали держать вас где-нибудь неподалеку, под рукой, во властных структурах — как аленький цветочек.

И даже если забыть про теневые ресурсы, у вас, как у диггера, всегда оставался последний патрон, последняя серебряная пуля. Когда начались аресты и уголовные дела против неугодных Кремлю предпринимателей, когда ликвидировали все некремлевские телеканалы, когда ввели тотальную цензуру — вы могли просто встать и объявить, что отказываетесь работать на этот режим. Но вы этого не сделали.

А теперь — в силу неприличных цен на нефть и мыслительных способностей господина Буша — Кремлю на вас уже в принципе наплевать. Тем более что один, два, три, пять раз подряд вы уже промолчали (или слишком осторожно сказали — что сейчас абсолютно одно и то же), когда Путин, на которого вы работаете, растоптал ваши прежние личные принципы относительно гражданских свобод и недопустимости передела собственности репрессивными методами в пользу кремлевских ставленников.

Вы прекрасно знаете: я никогда не верила в корыстную мотивировку ваших действий. Ради чего тогда? Бороться с теплоцентралями, когда страна, построение которой вы считали смыслом своей жизни, уничтожена? В смысле, фидеры дороги вам как память об убитой мечте?

Я встретила Чубайса в ночь выборов, когда мои друзья — лидеры СПС с изменившимися лицами пытались объяснить друг другу чудовищный смысл цифры 4,3% на мониторах.

Чубайс, потерянный, жалкий, осунувшийся, не вполне отдающий себе отчет в том, что все происходящее с выборами — не кошмарный сон, попытался заговорить со мной. А я не смогла. Отдернулась, отстранилась и ушла, сделав вид, что у меня срочные, неотложные дела в другом конце зала. И даже соврала, что сейчас, сейчас вернусь. И не вернулась. Уехала домой.

Потом переживала, что как-то не по-человечески это сделала. Он ведь растоптанный, проигравший все. И тут я еще его добила, даже разговаривать не стала. Я ведь действительно на протяжении нескольких лет считала его своим близким другом. Нужно было подойти, обнять, как-то поддержать, пожалеть.

А потом я поняла, почему не подошла и не пожалела. Потому что, если честно: вот не жалко мне уже вас больше ни капельки, друзья-демократы. Потому что не надо быть трусами. Вы сами сделали выбор. Никто вас не заставлял шоколадному Путину облизывать все, что можно. Кого мне жалко, так это страну, которую вы кинули.

* * *

Уже после того как меня уволили из газеты Березовского, вдруг раздался телефонный звонок, и я услышала в трубке:

— Лена, это Березовский. Я звоню, чтобы выразить вам восхищение вашей книгой!

Березовский заявил мне, что «Байки кремлевского диггера» — «первая книга за последнее время, которую он прочитал от начала и до конца на одном дыхании».

— Последней книгой, которую я вот так же прочитал от корки до корки, была только «Невыносимая легкость бытия» Кундеры...

Надо же, читать умеет, — с ехидством подумала я.

Березовский заверил, что мне удалось «абсолютно точно передать запах времени» и «ощущение ответственности за страну, вернее, ощущение отсутствия такой ответственности у основных политических игроков».

Из уст одного из главных участников инсайдеровского процесса ельцинского двора (да еще и того, кто наверняка обижен данным ему в книге эпитетом «злой гений российской политики») такая оценка звучала не только как комплимент, но и как самокритика.

Не скрою: я была польщена. Хотя и отдавала себе отчет, что накануне выборов ценителю литературы Березовскому в первую очередь наверняка приятно, что Путину в книге досталось еще больше.

Впрочем, в демонстрации дружеских чувств Березовский пошел еще дальше: в конце января 2004 года я получила приглашение приехать к нему на день рождения. Я почувствовала, что навестить его в «изгнании» — это круто. И внезапно очутилась среди очень тесной компании его ближайших друзей и семьи — сначала на празднике в лондонском офисе, а затем в его доме под Лондоном. Говорили о Маркесе.

Надо сказать, что самым сложным был выбор подарка для олигарха. Ну что можно подарить человеку, входящему в сотню самых богатых людей мира?—рассуждала я. «Роллс-Ройс»? — как-то пошло... Я подумала, что нужно подарить что-то такое, чего ему точно никогда не подарят его богатые друзья и испекла Березовскому в подарок домашнее еврейское печенье с корицей, изюмом, грецкими орехами, вареньем и тертой лимонной корочкой.

Делаю я это печенье, конечно же, гениально. Но все гениальное, как известно, бывает штучным. И сильно разнесенным во времени. Так, чтобы запомнилось на всю жизнь. Короче, последний раз я делала это печенье, когда мне было 17 лет.

Ну и, разумеется, как всегда, отложила все на последний момент. Представьте себе: глубокая ночь с четверга на пятницу. А в пятницу утром я должна вылетать к Березовскому. И тут я обнаруживаю, что дома у меня, разумеется, даже скалки нет, чтобы раскатать тесто для печенья. Я бужу соседку напротив и прошу у нее скалку напрокат (ту самую соседку, у которой спустя полторы недели вышибло взрывом бомбы верхнее перекрытие двери. И которая потом, наслушавшись каких-то папарацци, с тревогой спросила меня: «Лена, а правда, вы моей скалкой торт для Романа Абрамовича делали?»). Возвращаюсь домой, раскатываю печенье, готовлю начинку, закатываю рулетики, укладываю на противень, посыпаю корицей, аккуратненько разрезаю дольками, ставлю в духовку и — обнаруживаю, что духовка НЕ РАБОТАЕТ. Разумеется, я ни разу в жизни ею не пользовалась с тех пор, как сняла эту квартиру.

Таким образом, в три часа ночи я оказалась перед нехитрым выбором: либо выбросить сырое тесто со вкуснейшей начинкой в мусорное ведро и явиться к имениннику без подарка, либо... разбудить соседку еще раз.

Дважды за ночь будить одну и ту же соседку я все-таки не решилась. Взяв противень, я отправилась на первый этаж к легендарной Галине Бекетовне — душе Дома Нирнзее (той самой, к которой потом после взрыва приходил какой-то тип и просил шпионить за мной, как вы прочитаете чуть ниже). Я пощадила нервы женщины и не стала ей говорить, для кого до полпятого ночи пекла печенье в ее плите.

Ну и, в общем, пока я, поставив противень в духовку, бегала то к себе в квартиру, то к Галине Бекетовне, печенье, разумеется... Нет, ну не до угольков, конечно... Но, как бы так сказать поприличнее: нежность уже перешла в зрелость.

Поэтому, когда 2 февраля сразу после взрыва бомбы около моей кварьтры Березовский позвонил, чтобы узнать, жива ли я, и выразить поддержку, я на всякий случай осведомилась у него:

— Борис Абрамович, скажите честно: вы там случайно, зуб о мое печенье не сломали?

Он оценил шутку и со смехом заверил, что нет, что печенье ему понравилось.

В интервью «Коммерсанту» сразу после взрыва, когда корреспондент поинтересовался, не считаю ли я, что взрыв заказал Березовский, мне пришлось объяснить:

— Вы знаете, несколько дней назад я была у этого человека дома на дне рождения. Я подарила ему печенье. Печенье, конечно, слегка подгорело. Но, честно говоря, я не думаю, что он стал бы мне за это мстить таким способом.

* * *

Вот теперь вы знаете реакцию узкой читательской аудитории. И вам судить — кто из моих «друзей» спустя три месяца после публикации книги мог передать мне горячий, слишком горячий привет в виде бомбы под дверью.

В принципе я могу понять, почему, после того как я «взорвала» их, они в ответ решили взорвать меня. Ну что я могу поделать, если на этот раз у меня это вышло чуть более профессионально, чем у них?

ПРОСТО ЧТОБЫ ПОПРОЩАТЬСЯ

Вы, видимо, уже догадались, что, проведя несколько недель после взрыва бомбы за границей, я все-таки вернулась обратно в Москву.

А возвратившись, я, наконец, четко поняла, почему меня всю жизнь так тягостно, так маниакально, так по-личному тревожил каждый провал в политике реформ. Идиотски звучит, да? Просто, видимо, я интуитивно, каким-то шестым чувством предвидела, чем все это закончится лично для меня. Перечислить? Тем, что, выходя теперь из квартиры, я каждый раз проверяю, нет ли под дверью растяжек от очередной бомбы — как меня научили специалисты по секьюрити. Тем, что если за мной в моем родном городе десять минут подряд идет по улице один и тот же человек, то я догадываюсь, что это вряд ли поклонник, желающий взять у меня автограф. Тем, что я никогда больше не говорю ни о чем важном по телефону, а если говорю — то каждый раз опытным редакторским взглядом представляю, как эффектно будут смотреться эти распечатки на каком-нибудь сайте, куда спецслужбы регулярно сливают прослушки. Тем, что выпуски теленовостей вызывают у сограждан в лучшем случае легкий матерок: недавно зашла в аптеку, а там две продавщицы по телевизору услышали, как Путин говорит Фрадкову про «хороший задел на будущее». И обе тетушки, хором, не сговариваясь, друг другу: «Брежнев, ... твою мать!»

Но главный и самый страшный итог — я теперь каждый день боюсь за родных и друзей, спускающихся в метро и переходы как на отложенную казнь, в ожидании новых терактов. И каждый день, оказываясь в магазине, кино и даже просто на улице, вынужденных гнать от себя мысль: «Где в следующий раз?»

Вот ровно так человеку, находящемуся сегодня у власти, удалось за неправдоподобно короткий срок изуродовать мою страну, мой родной город. Вот таков лично для меня исторический итог провала либеральных реформ в России.

История — это вообще предельно личная штука. Сугубо индивидуальная. Коллективным вообще бывает только психоз.

Но иногда в истории случаются странные, волшебные воронки — едва осязаемые, но оттого не менее реальные, закручивающиеся по едва ли объяснимым для человеческого сознания спиралям — когда великие шансы предоставляются не отдельным людям, а целой стране. Предоставляются не за что — а вопреки. Просто потому, что до этого в истории, сделанной человеческими руками, уже было чрезмерно много зла и бездарности.

Так вот, точно так же, как у отдельного человека всегда есть выбор — принять даруемый ему шанс и изменить жизнь — или профукать дар, и продолжить жить средненькой, недореализованной, и из-за этого несчастной жизнью — точно так же и у страны. Страна тоже может воспользоваться тем чудом, тем великим шансом которые ей дарован, — а может вновь, как ветеран-аллигатор, уползти обратно, в знакомое, тёпленькое, ленивое и зловонное стигийское болото.

Так вот, Ельцин, несчастный старый больной Дедушка Ельцин, был чудом. Вернее — конечно, не он сам. Просто был тем, кто неожиданно почувствовал этот великий ритм и дыхание времени, этот великий шанс и великий вызов. И — как мог постарался соответствовать этому вызову. Ну подумайте сами: человек, который всю жизнь проработал в коммунистической партийной номенклатуре, вдруг в 60 лет задрав штаны залезает на танк — и ломает свою судьбу. Все-таки что-то символическое было в том, что Ельцин приехал в Москву именно из Екатеринбурга, где в начале прошлого века большевики убили доктора Боткина и семью его любимых пациентов. Был какой-то странный смысл и в том, что именно Ельцин в советское время приказал снести злосчастный Дом Ипатьева — первый расстрельный подвал XX века. И именно этот Ельцин несколькими годами спустя, вдруг, по какому-то наитию, превратился в яростного антикоммуниста, кающегося за массовые убийства и репрессии почти вековой красной диктатуры в моей стране.

В Ельцине действительно был какой-то дух покаяния. Ну откуда еще в партаппаратчике, привыкшем управлять волюнтаристскими методами, вдруг, когда он пришел в Кремль (то есть когда властных возможностей стало на много порядков больше), появилось святое, бережное отношение к журналистам? Ельцина поливали в прессе грязью так, как ни одному президенту за последние десятилетия, наверное, не снилось. И он ни разу не закрыл ни одну газету, ни один телеканал и даже не привлек к суду ни одного журналиста.

Поймите меня правильно: я ничуть не обожеств-
ляю старого, тяжко и неуёмно закладывавшего,
взбалмошного человека, который в моменты деп-
рессий позволял своей семье и окружению из-за
неумных мелкокорыстных интриг разваливать одну
за другой все властные и экономические конструк-
ции, которые могли гарантировать стране стабиль-
ность и цивилизованное развитие. Я вообще говорю сейчас не о Ельцине. Я о нем и так уже нагово-
рила в своей первой книге много хорошего, плохого
и разного. Я говорю о духе истории. Свою историю
можно прожить как великую, а можно — как без-
дарную. Знаете, это точно так же, как когда парень
влюбляется в девушку, но она кажется ему недося-
гаемой. И вместо того чтобы заняться самосовер-
шенствованием, он, с горя, плюет на мечту и идет в
бордель. А потом берет и женится на другой, случайно подвернувшейся под руку. И вроде и жена —
ничего, как у всех, и дети не дебилы, только вот вся
жизнь из-за этого как-то моментально бессмыслен-
ной стала, и удавить всех почему-то хочется.

Вот точно так же случается и со страной, упус-
тившей свой шанс. Она погружается в безвременье
и серенькое уныние. Именно таким был Советский
Союз при Брежневе: страной нереализованных
спившихся гениев. Заживо замурованных в офици-

оз. Именно такой (ну только чуть более сытой) рисковала стать и путинская Россия. Тоталитарная власть бездарна прежде всего потому, что ставит талантливых людей перед невыносимым выбором: либо «прогнуться» и превратиться в обслуживающий персонал Кремля (то есть слиться с бездарностью), либо быть вышвырнутым на улицу и оказаться лишенным права работать в своей стране в своей профессии.

Я говорю: страна «рисковала», а не «рискует», потому что теперь, после теракта в московском метро, взрыва на Рижской, гибели самолетов, Беслана, даже застой и серость может показаться самой светлой — и уже нереализуемой мечтой Путина.

В этом контексте предельно сложно понять тех, кто играл в России по-крупному — олигархов. Почему у этих талантливых, азартных и запредельно целеустремленных ребят, которым хватило смекалки молниеносно попилить бывшую госсобственность и сколотить себе миллиардные состояния, ни разу за последние 10 лет так и не хватило ума, чтобы после первичного дикого, бандитского накопления капитала договориться и объявить мораторий на мочилово ради сохранения у страны шанса на цивилизованное развитие? Почему даже после начала путинского раскулачивания отечественные олигархи продолжили руководствоваться не то чтобы даже трусливым, а скорее глуповатым принципом: «Пусть сожрут всех, но меня — последним»? Почему оставшиеся «в живых», в смысле — на родине, бизнесмены, вместо того чтобы попытаться удержать страну на последнем миллиметре от пропасти, предпочли с упоением грабить более удачливых конкурентов руками спецслужб и прокуратуры, смирившись ради этого с укреплением у власти «людей в штатском», считающих либерализм и гражданские свободы досадной и назойливой помехой для своей новой государственно-клановой монополии, на скорую руку задрапированной новой идеологией квази-культа личности?

У вас что, господа, единственная цель была в жизни — кто кого сколько раз кинет? И стоило ради этого тратить десятилетие на изощренные хитросплетенные интриги — чтобы потом опять вернуться ровно к тому, с чего и начинали? И чтобы страна, так много раз подряд и такими извращенными способами изнасилованная за прошлое столетие, вновь от безнадеги и апатии упала в объятия очередного, невеликого, диктатора?

В общем, многолетними коллективными упорными усилиями моя страна опять убила свой великий шанс. Шанс на бархатную революцию после века бездарной тирании. Благодаря Ельцину бархатная революция — мечта, посещавшая хотя бы однажды в истории, пожалуй, каждую страну, название которой вам интересно на карте, — для России почти было уже стала реальностью. «Почти» — именно потому, что две главные опасности, которых необходимо избежать бархатным революционерам, — это, во-первых, кровопролития и, во-вторых — реванша. Массового кровопролития в момент перехода от одного строя к другому Ельцину удалось избежать. Однако затем, как ни силился он согнуть линию развития страны в спираль, на следующий виток, тем не менее она упрямо загибалась в примитивный круг. И в результате замкнулась ровно в той точке, из которой был начат путь.

Но, как показывает опыт Путина, история страшно мстит тем, кто пытается изнасиловать ее ритм. Спираль, которую неестественно сжимают в пружину, в конце концов, распрямляется и бьет в лоб. Пугающим, вопиющим безумием, глухотой, потерей всякого чувства времени и истории, голосом из позавчера прозвучали слова Путина в обращении к нации после Беслана — о том, что «нам удалось сохранить ядро Советского Союза».

И это в тот момент, когда в реальности-то Советский Союз как раз только сейчас и начал разваливаться — и только сейчас у таких бывших советских колоний, как Грузия, Украина, Молдова, впервые появился шанс обрести реальную независимость от продолжающего воинственно клацать вставной имперской челюстью виртуального союзного центра, так и не выучившего урок, на осмысление которого история давала нам 13-летнюю отсрочку и затишье.

Путин, человек из позавчера, абориген каменных джунглей советской номенклатуры, после 11 сентября попытался на халяву, просто за поддержку Буша, как взрослый, сесть за один стол с вождями постиндустриальных держав. При этом он не только не попытался развить свою страну, а наоборот — задал ей принудительный вектор в сторону политической деградации и экономического застоя. В результате, привесив эти разнонаправленные гири и разломав какой-то тонкий механизм временны́х исторических соответствий, Путин умудрился инфицировать страну (которую ему уже удалось насильно телепортировать в недоразвитое позавчера) катастрофическими бациллами из мирового послезавтра.

Не вполне понятно, какая теперь вообще сила способна помочь Путину расправить скукожившиеся от ужаса внезапного осознания собственноручно сотворенной катастрофы извилины. У далекого друга Буша и у самого в голове давно уже сплошной вихрь-антитеррор. Но Буш, в отличие от Путина, имеет — скажем так — «не полностью» коррумпированную армию, спецслужбы и полицию, которые не пропускают в центр столицы отряд вооруженных боевиков, не выпускают на свободу вроде бы судимых и как бы находящихся в тюрьме террористов, чтобы они совершили новый теракт, и не используют раскрученную властью истерию для организации беспредела на столичных улицах, наглых взяток и побоев мирных обывателей по национальному признаку. И которые хотя бы иногда, разнообразия ради, предотвращают теракты и защищают граждан, которые оплачивают их существование налогами. Кроме того, Буш является счастливым обладателем общества, которое хотя бы теоретически считает себя таковым и которое в критический момент способно излечить президента от социально опасных маний и фобий с помощью принудительной отставки. И которое уже давно бы нежно и заботливо помогло своему любимому избраннику переодеться из президентского фрака в тюремную пижаму, если бы он вел войну не в кто его знает где находящемся Ираке, а на собственной территории, против собственных граждан, русскими зверскими методами и с русской же нулевой эффективностью.

Прогнувшиеся отечественные олигархи (узкий круг которых до недавнего времени считался — и не совсем без основания — единственным сознающим себя в России «обществом», единственной «фокус-группой», принимаемой во внимание Кремлем) робко, слишком робко мямлят, намекая Путину что неплохо бы, в свете нац. катастрофы, пересадить их со скамьи заключенных (кого с реальной, а кого — с виртуальной пока) обратно за стол переговоров. Политтехнологи же силовой группировки, напротив, чуть более нагло пугают вождя неминуемыми уличными протестами и переворотами в том случае, если он тотчас не вручит спецслужбам ваучер на закручивание гаек и откручивание шей.

Лично я не верю в то, что Путин, который на протяжении 5 лет с маниакальным упорством разыгрывал на российской политической сцене (имитировал, не важно) тупого диктатора, вдруг, поняв, что ситуация не по сценарию катастрофическая, возьмет да и плюнет на принцип единства актерского амплуа и попробует себя в кастинге другого фильма: с гибким, адекватным, способным к переговорам и человечным президентом в главной роли, и со счастливым, соответственно, концом. По крайней мере, оглашенное президентом краткое содержание следующих серий (отмена выборности губернаторов и формирование Думы стройными партийными рядами — то есть окончательное списание в запасник декораций демократии), не дает особых оснований сомневаться в трагическом финале этого отечественного сериала.

Это только при великом президенте в момент захвата заложников премьер-министр в телефонном разговоре, транслировавшемся на всю страну, мог произнести великую фразу: «Говорите громче, Шамиль Басаев! Вас не слышно!» — исходя из единственного человечески объяснимого побуждения: спасти жизни людей. Вспомните, какими еще не до конца озверевшими были в тот момент обе стороны. Точка невозврата еще не была перейдена. И только при великом президенте, не боящемся исправлять собственные ошибки, мог после этого состояться Хасавюрт. Хотя бы попытались.

Путин же до сего дня предпочитал эпигонски переписывать примитивную сталинскую трехходовку ранней диктатуры: сначала уничтожил бывших врагов (раскулачил и выгнал Гусинского), потом зачистил бывших друзей (раскулачил и выгнал Березовского), а затем принялся уничтожать уже даже не соперников, а гипотетических конкурентов (Ходорковского и прочих бизнесменов, более успешных в бизнесе, чем близкие друзья президента). Но коммерческая мотивировка (которая на первый взгляд может быть истолкована как «условно-вменяемая», «человечная», причина странноватого поведения любого политика, стремящегося поднагадить собственной стране), увы, обычно все-таки не спасает тирана от сумасшествия. После этой трехходовки у каждого из известных истории диктаторов волей-неволей начинались припадки классических параноидальных расстройств типа кровавых мальчиков в «Матросской тишине» и искренняя вера в заговоры. И даже если расправа над «заговорщиками» рациональна и экономически выгодна твоим друзьям — тебя это психически здоровее уже не сделает. И каждый, кто попробует задать тебе вопросы, подобные этим, уже очень скоро покажется кровным врагом. Но я точно знаю, что только честные ответы на предельно болезненные вопросы способны помочь человеку задержаться (если вообще еще что-то возможно), опомниться, и не переступить самую последнюю, нечеловеческую черту. Как бы страшно ни было на них отвечать — это все равно **не так** страшно, как то, что может случиться потом. Честное слово, Володь. *подстилка!*

Впрочем, иногда другие читатели предлагают свои ответы. В прошлой книге я вот все задавала и задавала глупые вопросы «почему?», да «зачем?», да «ради чего все это Путину?». Знаете, как, например, объясняют в бизнес-структурах (не будем показывать пальцами) назначение Игоря Сечина в руководство «Роснефти», которая считается одним из наиболее вероятных пильщиков ЮКОСа при раскулачивании? «Путин создает собственную «Семью», рассаживает ее на ключевые посты и хочет к тому моменту, когда ему придется расстаться с президентским постом, полностью закончить зачистку на поле крупного бизнеса и лично превратиться в главного нефтяного олигарха в стране. Причем в олигарха государственного — защищающего свою монополию с помощью репрессивного и законодательного аппарата».

Когда вышла книжка «Байки кремлевского диггера», один не самый бедный в стране бизнесмен поделился со мной афоризмом: «Знаете новый завет Путина бизнесменам? "ПИз-и, но не пиз-И!"»

Но, несмотря на эту миролюбивую заповедь, такого оттока капиталов из России, как сейчас при Путине, Ельцину и не снилось. И если еще несколько месяцев назад отечественные бизнесмены только в частных беседах признавались, что после ареста Ходорковского активнейше «тупикуют деньги», в смысле, выводят их из страны из-за опасения репрессий (по неофициальным данным, за половину

2003 года уже вывезено не менее 15 миллиардов долларов), то теперь даже путинские министры типа Грефа официально оценивают отток капитала в астрономические суммы в 8,5 миллиарда в год.

И тот же самый предприниматель, который раньше огласил мне вышеописанную формулу справедливости по-путински, после ареста Ходорковского сказал: «Я — не Ходорковский, я — не герой. Я сяду не в тюрьму, а в самолет».

Но боюсь, что теперь все эти академичные нюансы бандитского передела бизнеса властью и власти бизнесом и вовсе потонут в кровавом оргазме антитеррора. И любой, кто усомнится в суверенном праве Путина на отчуждение имущества конкурентов, отныне рискует быть пораженным в правах чуть ли не до статуса чеченца.

А вообще — что я все про Путина да про Путина. Да про бедных олигархов. Давайте теперь поговорим про нас с вами. Честно говоря, друзья, тот факт, что только после Беслана российское общество содрогнулось и вспомнило о Чечне — спустя вторую ударную пятилетку чеченской войны — это показатель крайней бессовестности нации. И не надо оправдываться тем, что всех вас слишком затрахали сначала диктатурой, потом реформами, а потом снова Путиным. Просто — вот положа руку на сердце — вам просто было абсолютно наплевать, что в Чечне убивают людей — потому что это были **не ваши** родственники. Тем более после того, как Путин, которому эта война понадобилась для победы на первых выборах, и за которого вы дважды проголосовали (или уже нет?), помог вам успокоить совесть: заткнул рот журналистам и ликвидировал негосударственные телеканалы. В частности — чтобы не мозолили вам глаза неприятными картинками истребления чужих, не интересных вам семей. Но поверьте мне на слово: чеченцы — не тараканы. Их нельзя вывести дустом.

К тому же, не сомневайтесь: сегодняшние властные элиты (точно так же, как и союзные элиты чертову дюжину лет назад) прекрасно видят уже, что распад страны неизбежен. И вопрос времени и цивилизованности этого процесса — это лишь вопрос их личных амбиций, корыстных интересов и психической вменяемости.

Можно отпустить с миром, а можно цепляться до последнего — и заставить харкать кровью всю страну. И тогда горбачевские саперные лопатки в предъельцинскую эру, примененные в Тбилиси против демонстрантов, требовавших независимости, покажутся верхом гуманности по сравнению с тем, что готовит сейчас стране Путин.

Знаете, когда «государственники» рассуждают о том, что нельзя было «отдавать» Крым и апеллируют при этом к сытным курортным воспоминаниям электората — это хоть и звучит слегка неприлично, примерно как сетование жулика, которому не дали доесть украденную булочку — но все-таки не выглядит людоедством.

А когда речь идет о Чечне — то давайте, все-таки, еще раз подытожим, какая лично вам роль предлагается в этом боевике: те, кто делает на Чечне свой бизнес (неважно, политический или нефтяной), и те, в чьих карманах оседают военные бюджеты, не ездят в метро и не летают на рейсовых самолетах, а пользуются правительственными и личными jet-set'ами. И их дети никогда не пойдут в бесланскую школу. И даже в простую московскую.

* * *

Вскоре после того как я вернулась в Москву, ко мне под дверь опять приходил и пугал моих соседей какой-то странный тип. Он пришел к нашей знаменитой, известной всему Дому Нирнзее, Галине Бекетовне. Сначала он пытался подговорить ее шпионить за мной и звонить ему докладывать, когда я прихожу домой, потом уверял ее, что «его другу на

Петровке начальство дало указание закрыть дело о
взрыве и поэтому его попросили помочь — пойти и
переговорить с Трегубовой» (дело было, кстати,
около 9 часов вечера — самое изящное время для
разговоров по душам), а потом, когда я по случай-
ному стечению обстоятельств ровно в этот момент
подошла к двери Галины Бекетовны (чтобы сдать
деньги на домофон, который у нас в доме решили
поставить после взрыва), нам с ней пришлось пол-
часа сидеть запершись в ее квартире и ждать приезда службы спасения, потому что настырный гость
ломился в дверь. А в отделении милиции, располо-
женном буквально дверь в дверь с Галиной Беке-
товной, ровно в этот момент всех как ветром сдуло.
Вызванный нами наряд милиции (к приезду которых наш визитер, разумеется, уже исчез) наотрез отказался проверять, действительно ли этого человека прислали с Петровки. Мой знакомец из Управления внутренних дел (помните, я вам рассказывала? Анатолий Анатольевич, с которым я обменялась
телефонами в день взрыва у своей двери), которому
я позвонила и попросила разобраться, лишь заверил меня, что Петровка такими методами не работает. И больше не перезвонил. А участковых милиционеров из того отделения, что расположено в на-
шем доме, на следующий день всех, к несчастью,

скосил сильнейший грипп, поэтому на работу они не вышли и расследовать ничего не смогли.

Тем временем вскоре незваный гость снова подкараулил меня — на этот раз уже рядом с домом, но тоже поздно вечером, когда уже стемнело. Его сопровождал какой-то весьма прилично одетый человек, предъявивший мне удостоверение некоей Академии проблем безопасности. А мой «гость» заявил вдруг, что консьержка его неправильно поняла и что он имел в виду, что он — бывший заключенный и что органы пытаются на него «повесить дело о взрыве». «На меня уже пытались повесить дело о взрыве Холодова», — «обрадовал» он меня.

Я искренне посоветовала ему больше никогда не приближаться ни ко мне, ни к моему дому.

Мне было бы жалко, если бы мне пришлось покинуть Москву навсегда. В этом городе все уже так густо обросло моими воспоминаниями, что было бы так же горько расстаться с ними, как сжечь свои старые дневники.

И раз уж я взялась нести тяжкий крест нарциссизма, то напоследок порадую вас еще раз: я искренне убеждена, что моей стране было бы гораздо лучше со мной, чем без меня.

Впрочем, я — сама себе государство. Я счастлива в любой точке вселенной, где у меня есть мой лэптоп. Да и там, где его нет, как выяснилось — иногда тоже.

Честно говоря, по-моему, я и в политическую журналистику в свое время пошла только с одной идиотской, сентиментальной целью: помочь моей «внешней» стране стать хоть немножко более похожей на страну внутреннюю. Смешно, что призналась я себе в этом только сейчас — когда уже лишена возможности работать журналистом в собственной стране. По какой-то странной задумке судьбы, моя личная история в журналистике началась ровно в тот момент, когда вообще началась история независимой журналистики в постсоветской России. А теперь закончилась ровно в тот момент, когда, по сути, закончилась и независимая журналистика в России.

Ну что я могу поделать, если мне так и не удалось объяснить своей внешней стране, какой прекрасной она могла бы стать? Мое персональное, внутреннее государство не насаждает своих идеалов силовыми методами. Что выгодно отличает его от государства внешнего, согласитесь. Что же касается моей внешней страны — то здесь, кажется, опять осталось надеяться только на чудо.

Елена Трегубова

Прощание кремлевского диггера

Художник А. *Бондаренко*
Корректор М. *Борисова*
Компьютерная верстка М. *Гришина*

Подписано в печать 20.10.04.
Формат издания 84×108 $^1/_{32}$.
Гарнитура «Ньютон». Печать офсетная.
Бумага газетная пухлая. Усл. печ. л. 10,92.
Тираж 50 000 экз.
Заказ № 636.

ООО «Издательство Ад Маргинем»
113184, Москва, 1-й Новокузнецкий пер., д.5/7,
тел./факс: 951-93-60, e-mail: ad-marg@rinet.ru

ИД № 06255 от 12.11.2001

Отпечатано в полном соответствии с качеством
предоставленных диапозитивов
на ФГУИПП «Уральский рабочий»
620219, Екатеринбург, ул. Тургенева, 13
http://www.uralprint.ru
e-mail: book@uralprint.ru